O divórcio

FÓSFORO

CÉSAR AIRA

O divórcio

Tradução do espanhol por
JOCA WOLFF E PALOMA VIDAL

Posfácio por
PATTI SMITH

LOGO NO INÍCIO DE DEZEMBRO deixei Providence (Rhode Island), onde a primeira neve já ficara soterrada debaixo da segunda, e a segunda debaixo da terceira. Não me importava o que dissesse a psicopedagoga do jardim de infância da Henriette, nem a mãe dela. A menina aceitaria minha ausência de um mês inteiro com mais facilidade que as minhas aparições na soleira da casa que tinha sido nossa, batendo na porta como um estranho, depois de ligações e arranjos e confirmações, na manhã de Natal, ou na seguinte, ou na anterior, sem falar das despedidas correspondentes. O divórcio era recente e a nova rotina se estabelecia aos poucos, penosamente. Não me sentia preparado para enfrentar, na minha nova condição, as tediosas formalidades dessa época do ano. Uma boa saída de cena de minha pessoa seria mais piedosa, para mim e para minha filha. Na volta, carregado de presentes e sorrisos, iniciaríamos com o pé direito nossa relação a partir das bases estabelecidas pelo juiz.

Essa explicação, ainda que resumida e passada a limpo, reproduz a que eu dava a mim mesmo enquanto o avião decolava. Mas não reproduz, por ser clara e razoável, o tumulto emocional em que me encontrava havia meses, nem a crise que decidira minha partida. Ela começou a se apaziguar no decorrer dos dias de verão na bela cidade em que me instalei para passar essas férias forçadas. Ausente dos demais, tive a libertadora experiência de me sentir ausente de mim mesmo. Os dias de sol e os de chuva alternavam-se dentro de um imutável contínuo de luz, uma luz sempre fina, delicada, que tocava as coisas com a ponta dos dedos e permanecia ali... Podia ser uma impressão causada pelo prolongamento das tardes, pela folhagem das árvores cujas copas se confundiam no meio da rua, pela limpeza diária do ar feita pelos temporais.

Escolhi Buenos Aires quase ao acaso, só por estar longe e no clima oposto, e porque era a única cidade que reunia essas duas condições e onde, além disso, tinha conhecidos, para quem liguei antes da viagem. Ainda que fossem meras relações casuais, e alguns nem sequer conhecia pessoalmente, eles se mobilizaram ao meu favor com eficiência e com a hospitalidade tão própria daquelas latitudes. Resolveram todos os problemas de hospedagem, e, eu mal chegara, já estava acomodado num simpático albergue, num bairro tão aprazível e ao mesmo tempo tão cheio de atrações que não senti necessidade nem vontade de sair dele em todo o curso da minha estadia. Mais do que por resolverem as questões práticas, agradeci a eles, e torno a fazê-lo nestas páginas, pela companhia, pela conversa e pelo tempo dedicado a mim.

Os hábitos do ócio e de uma sociabilidade relaxada, sem objeto visível, firmaram-se em poucos dias; tinham o encanto a mais da sua fugacidade; eram hábitos em sentido pleno, com tudo o que o hábito tem de tranquilizante e sereno, mas sem o gosto de prisão perpétua que costumam ter os hábitos. Um deles, o mais constante, para não dizer o único, era o de sentar para conversar numa das mesas da calçada de algum dos muitos cafés da região.

Certa manhã estava exatamente numa das mesas da calçada do Gallego, conversando com uma jovem chamada Leticia, talentosa videoartista que conhecera duas noites antes num jantar ali mesmo. O Gallego era um simpático restaurantezinho atendido por seu dono histórico, fundador e alma mater, um velho imigrante espanhol a quem apelidavam, desde sempre, de galego. Fora das horas de almoço e jantar, e também dentro delas, porque as coisas no Gallego eram feitas com bastante informalidade, o lugar funcionava como café, bar e espaço de tertúlia de uma variada clientela do bairro, à qual eu não tinha custado a me integrar.

Em dado momento, vimos o próprio galego sair até a calçada. Era um homenzinho de estatura muito escassa; um centímetro a menos e seria um anão. Apesar dos seus oitenta anos mantinha-se muito ativo, em excelente forma física. E sua lucidez e inteligência estavam intactas, disso eu podia dar fé pelas conversas que tivéramos; na noite anterior, depois de me despedir do grupo com que jantara (eles foram para suas casas; meu albergue ficava muito perto, na esquina, sem precisar atravessar a rua), eu fiquei conversando com ele e tomando uma bebida até não sei que horas da madrugada.

Saía para a calçada, com o passo rápido e o gesto concentrado, para desenrolar o toldo de lona em cima da fachada do lugar. A essa hora já próxima do meio-dia o sol introduzia, por uma abertura na folhagem das árvores, uma fresta ofuscante de luz que avançava em direção às mesinhas e aos seus ocupantes. O galego, feito um duende benévolo atento ao perfeito bem-estar dos seus convivas, não deixaria que nada os perturbasse.

Absorto no papo com a minha jovem amiga, não registrei a presença dele até acontecer o incidente. Não demorou muito. Assim que a primeira dobra de lona verde se estendeu, acionada pela manivela giratória que o galego encaixara na polia, um grande volume de água desabou sobre a calçada. A água se acumulara ali durante as chuvas da noite. Por sorte o jorro caiu longe da linha das mesinhas e nem sequer respingou em nós. Talvez não pudesse fazê-lo mesmo se estivéssemos mais perto, porque foi como se toda a água tivesse sido absorvida pela vítima. Tratava-se de um jovem com uma bicicleta. Não estava montado nela, mas a empurrava ao seu lado; provavelmente descera dela um pouco antes, para subir na calçada. Recebeu a água como se a tivessem apontado para ele, e acertado. Não era pouca. Não era uma ducha de gotas soltas. Foi um aguaceiro sólido, de dezenas de litros atraídos pela força da gravidade, direto sobre ele.

Ele ficou paralisado pela surpresa, pelo susto e pelo banho. Sobretudo por causa deste, que se impunha a todo o resto. Molhara-se até a última fibra da roupa e o último cabelo da cabeça e a última célula da pele. Parecia continuar se molhando, num processo que transcendia o tempo do acidente que sofrera. A água corria pelo rosto dele, pelos braços (fazia redemoinhos ao chegar no relógio de pulso), formava ondinhas por baixo da camiseta, inchando e enrugando o tecido, escorria por dentro da bermuda criando cortininhas translúcidas, como sinuosos tubos de cristal ao redor das panturrilhas, e encharcava num fervor frio os pés calçados em sandálias.

Olhávamos fascinados, tão imóveis quanto ele. Tinha parado bem em frente à nossa mesa. Passou um momento, talvez muito breve. Em circunstâncias assim é muito difícil medir o tempo. Talvez não tenha passado tempo algum, ou só a fração infinitesimal necessária para que no jovem excessivamente molhado se conectasse o olho com o cérebro. Não precisou desviar o olhar, porque, como disse, o acaso tinha-o feito parar bem em frente à nossa mesa; o mesmo acaso que o fizera estar no momento exato debaixo do jorro. Abriu a boca, afastando os véus de água, que continuavam fazendo molduras sobre seus lábios, e exclamou:

"Leticia!"

A jovem videoartista que me acompanhava, testemunha como eu do acontecido, teve de fazer uma rápida readaptação psíquica. Sei porque olhei para ela e vi o processo refletido no seu rosto. O protagonista da cena era um ser anônimo como são todos os que se veem sofrendo um percalço na rua. Não é João nem Pedro, mas "o que tropeçou", "o que foi assaltado", "o que ficou debaixo das rodas de um carro". Agora ela devia deslocar sua percepção daquele anonimato para um nome, fazendo a memória intervir. Foi um procedimento muito breve este também. Tudo acontecia rápido. Era como se a água ainda não tivesse terminado de cair do toldo:

"Enrique!"

Levantou num pulo e já estava com ele, abraçando-o sem se importar que se molhasse. Afastaram-se para se olhar, para se reconhecer, depois de tanto tempo.

NÃO SE VIAM DESDE O DIA em que tinham se conhecido, dia que coincidira com o fim da infância. Havia sido um encontro e uma despedida de uma só vez, precipitados por um acidente ou uma aventura que com o tempo ganhou nas lembranças deles dimensões cósmicas, de explosão galáctica. Aquele dia na realidade tinha sido uma noite, e apenas um breve lapso de uma noite, talvez uns minutos, mas tão carregado de força entrópica que ficou gravado para sempre. Ambos podiam ter guardado, daquele episódio de quinze anos atrás, a ideia de que o outro era um ser imaginário, uma criação do pânico ou do mais recôndito instinto de sobrevivência. E ao mesmo tempo os dois tinham conservado a convicção da realidade do outro e alguma coisa parecida com uma esperança de recuperá-la... Agora, de repente, ali estavam, Leticia e Enrique, em carne e osso, olhando-se nos olhos. O reencontro era assombroso não só pela circunstância grotesca em que se dava, mas pela matéria do motivo: a água. A água que envolvia o corpo de Enrique e continuava correndo... Pois a causa do primeiro encontro e subsequente separação fora um incêndio. Era como se o Destino agisse a golpes de blocos primordiais. O fogo os separava, a água os reunia. Dando o ar por inequívoco, ou deixando-o de reserva para outra etapa da sua história comum, só faltava o "que a Terra me engula" para completar o quarteto clássico dos elementos dos encontros inesperados e não desejados. Mas esse encontro, se foi inesperado, estava longe de ser indesejado para qualquer um dos dois. Ao contrário: nesse momento estavam experimentando uma coisa como uma consumação feliz da memória tornada verdade. Eles eram de verdade; e tinham sido enquanto o Colégio queimava. Aquilo que ao nascer do sol era um punhado de cinzas tinha sido um internato elegante e progressista nos arredores de Buenos Aires, organizado ao estilo europeu, seguindo a linha pedagógica de um teósofo alemão. Promovia-se a autonomia do indivíduo, com a ênfase no artesanato, na natureza e no desenvolvimento espiritual. Uma mistura de primitivismo e alta tecnologia sabiamente dosada prometia moldar personalidades tanto eficazes no futuro social e profissional quanto atentas aos valores básicos da vida. Sendo que o núcleo duro de tudo que constituía isso era a representação. Desta, por sua vez, o emblema e a efetivação era o prédio onde funcionava a instituição, construído conforme o modelo das mansões vitorianas inglesas, com a mesma combinação de neogótico e exagero, *bow-windows*, torres e cúpulas, numa massa sólida e bastante imponente, isolada no centro de um vasto parque arborizado, com lago, alamedas, roseiral, estátuas e campos esportivos. Quando Enrique entrou no Colégio pela primeira vez (acabara de fazer treze anos) pensou que estava entrando num castelo de fábula que também era um labirinto inesgotável; e não o tinha esgotado quando, uns meses depois, em pleno inverno, aconteceu o incêndio.

O fogo, para desconcerto dos peritos que fariam depois a investigação da companhia de seguros, começou em vários lugares do Colégio ao mesmo tempo, em diferentes andares e alas do prédio, que tinha cem metros de fachada e só um pouco menos de fundo, e uns trinta de altura nas torres. À esquerda, à direita, nos terraços, nos porões, como se todo o Colégio fosse um só novelo comprimido, os cabos voaram numa magnetização em cadeia, produzida aparentemente pela sobrecarga atmosférica, e começaram a se agitar em vivas chicotadas acesas pelos parquetes, as boiseries, os adornos. Abraçavam cadeiras e mesas como *gauchos* expertos, enfiavam-se debaixo dos tapetes fazendo-os ondular, estalavam suas pontas de cobre vermelho nas estantes de livros. Nada que fosse inflamável escapava ao contato dos cabos pretos descolados de seus canos pela violência do curto-circuito e animados pela violência com que a Fada Eletricidade se transformava na bruxa Combustão Espontânea. Era uma meia-noite sem lua. Todas as luzes tinham sido apagadas. Todos dormiam. Nas trevas sem testemunha os rabiscos histéricos desses fios desatados acendiam tudo segundo o capricho dos seus golpes. A escuridão dividia-se em hemisférios irregulares, com resplendores vermelhos na sombra que persistia. Os fios tornavam-se volumes, mas intangíveis, móveis, começavam uma correria deslizando sobre todas as superfícies. As chamas começavam a abrir portas. A fumaça, em colares tridimensionais de fagulhas, adiantava-se pelos corredores e escadas. Alguns focos de incêndio chegaram a se reunir antes de ser dado o alarme aos que dormiam. Mas já aumentava o som, de élitros e pandeiros, como se fossem um milhão de passarinhos marcando microssegundos. Enrique, na sua cama do dormitório do Primeiro, acordou ao mesmo tempo que os vizinhos, que já corriam e gritavam. Seguiu-os, atordoado, tropeçando, sem sequer atinar a pôr as pantufas, mas já sabendo do que se tratava. Mesmo sem nunca ter tido a experiência de um incêndio, sabia o que era, como qualquer criança sabe. Claro que uma coisa era saber e outra que estivesse acontecendo na realidade. O grupo dirigia-se como uma exalação a uma das portas, sem que ninguém tivesse dito que deviam ir em direção a ela e não à outra. Quando estava para atravessá-la, Enrique virou-se para olhar o fundo do dormitório e viu, como se vê uma explicação, um enorme balão de fogo se balançando no umbral. Foi aí que acordou totalmente. Quando retomou a corrida, estava sozinho. Dois passos adiante e voltaria a estar entre os demais, mas se desprendeu deles quase de imediato. Na evacuação improvisada os mil internos corriam para dentro e para fora ao mesmo tempo. O Colégio começava a revelar suas estranhas reversibilidades. O sono continuava presente em cada aluno. A desorientação escalava novos cumes espaço-temporais. A falta de luz não contribuía. Ainda que as chamas brilhassem, a fumaça era preta e as imagens apareciam de forma desconexa, em planos tortos e fugazes. Enrique desconhecia especificamente cada um dos lugares em que se via, e só se preocupava em manter o movimento e acelerá-lo sempre. Correr, correr, mais rápido, mais...

Terá sido um ajudante mágico o que se materializou diante dele? A Velocidade, na forma de uma menina que lhe estendia a mão, com um sorriso de confiança? Fosse o que fosse, ali estava, num nível meio elevado, sobre o primeiro patamar de uma escada que subia dando voltas. Era Leticia. Não era uma aparição, mas uma menina de carne e osso. E o que parecia uma postura tranquila diante do desastre, um sorriso de benevolência, não passava de paralisia pelo terror e um pedido de socorro.

Mesmo descartando o sobrenatural, a menina que Enrique olhava merecia o seu assombro. Sua imagem se destacava sobre o fundo preto em que ele avançava, criando um primeiro plano difícil de situar, o rosa. Por entre os cachos do longo cabelo loiro filtravam-se fulgores que pareciam distantes. A mão que estendera era branca, magra, os dedos muito finos, do mesmo modo que os pezinhos descalços sob a barra da camisola. Alguma coisa na consciência de Enrique dizia-lhe que não era o momento de se perguntar o que ela fazia ali; o que importava não era estar ali, mas ir embora... no entanto, persistia o fato de que era uma menina. E o Colégio, pelo que ele sabia, era um internato de meninos; durante os meses que passara nele tinha entendido o lugar sob esse aspecto e não podia modificá-lo assim do nada. A presença de uma menina, proveniente de um dormitório de meninas, e que, como ele, escapava sem ter tido tempo de se vestir, afundava-o nessa perplexidade própria das duplicações ou dos universos paralelos. Não sabia quanto caminho percorrera pelos corredores enfumaçados, nem em que direção, mas era como se tivesse chegado do "outro lado", onde tudo se invertia. E o mais estranho era que ela devia estar pensando a mesma coisa.

Uma mão gigante jogava-lhe punhados de cinza amarela na cara. Leticia desceu em três pulos, leve como um percevejo, e um instante depois (o encontro não levara mais que dois segundos) Enrique a tomava pela mão e já estavam correndo outra vez.

Ainda que inexplicável, e inexplicado, o encontro lhes deu segurança. Decidiram que aonde um fosse o outro iria e desse modo não se perderiam. De repente parecia uma brincadeira, porque não estavam obedecendo instruções: podiam avançar ou retroceder, subir ou descer; livrados ao acaso e ao movimento, parecia quase fácil demais. Havia uma grande liberdade, o toque de clarim que marcava o fim da infância, cujo abandono é expeditivo e indolor. Simples assim, ou fatal, via-se a saída do Colégio em chamas.

Mas ninguém, entre os alunos que cruzavam, sozinhos ou em grupos, dava sinais de saber em que direção estava a saída (a placa com a palavra "Direção" não ajudava, pois se referia à sala do diretor). Ao se cruzar correndo em rumos opostos, gritavam-se perguntas, ordens, conselhos que eram respondidos com negativas circulares ou com dúvidas; às vezes um bando convencia o outro e eles davam meia-volta, saíam correndo sem esperar para ver o que os outros faziam, outra vez em direções opostas. Alguns viam, como num pesadelo, crianças como eles correndo com o cabelo e a roupa em chamas, e só quando os espelhos explodiam em pontos de prata líquida compreendiam que eram eles mesmos. A angústia e o pânico (mas sobrepostos à brincadeira, como uma camada em pinturas deformadas) eram os dois fios condutores; um nó se fazia nos óvalos de oxigênio em chamas, que por sua vez explodia e lançava meninos e meninas soltando gritos sem voz por infinitos corredores e salas de aula. Houve quem ainda perguntasse o que estava acontecendo. Para eles havia áreas inteiras do Colégio, fileiras de salas, salões, escritórios, que continuavam longe do fogo, obscuros e palpitantes. Mas as áreas afetadas e as não afetadas eram contíguas e, de repente, se sobrepunham. Um estrondo no terceiro andar indicou um desabamento: era o andar de um dormitório que se deslocava para o inferior; seus ocupantes não tinham acordado e voaram das camas; os lençóis, sugados pelo vazio repentino, projetaram-se para cima como fantasmas em festa. Os espaços penetravam-se em ângulos de fogo, transformavam-se uns nos outros. Os numerosos laboratórios e oficinas exigidos pelas teorias pedagógicas do Colégio explodiam em formatos diferentes, em velocidades diferentes, fazendo do incêndio um fenômeno multidimensional. Leticia e Enrique estavam perdidos, como todos os demais, erravam entre espectros de alvenaria, viam passar sobre suas cabeças lentos vasos com flores em chamas, galhos esmagados que se afundavam em obscuridades côncavas, de cujo seio nasciam luzes compactas, espumosas. Estavam com as pupilas dilatadas ao máximo e, com isso, as áreas escuras pareciam-lhes túneis, subitamente cheios de vozes. Parecia-lhes que estavam adentrando os sucessivos corações mais íntimos do castelo. O volume do crepitar vinha aumentando o tempo todo e era ensurdecedor. Os famosos mil internos circulavam por esse palácio de aplausos feito moléculas programadas por um químico louco. Leticia e Enrique, sempre de mãos dadas, quando passavam na frente de um dos buracos abertos pelo fogo e o resplendor lhes permitia ver, olhavam-se nos olhos para ter certeza de que continuavam sendo eles. Os desabamentos tornavam os trajetos irreconhecíveis, ainda que também pudesse ser o caso de que na correria às cegas tivessem passado para um setor do edifício que não conheciam. Mas havia alguma coisa ali dentro que não conheciam? A sensação de perigo crescia. Cruzaram um grande salão cujas janelas explodiam uma após a outra. O teto em chamas atraía, pela diferença de pressão, cones cinzentos de vidro pulverizado. Um grupo de alunos mais velhos, dos anos mais avançados, irrompeu no salão pela porta que havia usado para sair; deram-se conta de que vinham encabeçando um numeroso contingente de fugitivos; maiores e menores fundiram-se num circuito de colisões que deixavam manchas de queimado no espaço. Por acaso saíram numa varanda comprida que rodeava a uma boa altura um pátio coberto, o jardim de inverno panorâmico de Botânica. As arvorezinhas dos canteiros em volta sacudiam suas copas redondas como se estivessem possuídas: o fogo continha o próprio vento. Daquele mirante acima do chão viram explodir em chamas todas as espécies da Flora encarcerada, inchar de ar ardente os cálices e gerar explosões globulares; séries de alvéolos incandescentes subiam ondulando e ficavam suspensas diante dos seus olhos. Do outro lado, no canto oposto da varanda, viam uma escada, mas também o fogo a subir por ela. Entraram numa escura passagem lateral. Os quadros caíam das paredes fazendo barulho e, antes de as aquarelas ferverem, mostravam por um instante fluido vistas diversas dos interiores do Colégio. Atravessaram uma série de cômodos pequenos, salinhas e quartos, todos vazios. Deviam ser os apartamentos de professores e zeladores. O que havia acontecido com eles? Teriam fugido? Mais parecia que nunca haviam existido. Ao perceber a ausência deles notaram que os alunos também desapareceram. Tinham ficado sozinhos. Aceleraram, numa renovada maré de pânico, temendo que tivessem começado a correr em círculos. Quanto ao pessoal do Colégio, por mais qualificado que fosse, era tratado como pessoal doméstico, e as poucas horas de sono que lhes eram concedidas tinham de passar nessas celas mesquinhas; a pequenez acentuava a sensação de labirinto falaz. Além disso, a fumaça ficava mais densa ali; quando pareceu que lhes impediria de avançar, de repente uma corrente de ar frio despontou e os dois rodaram por uma escada de mármore, em caracol, tão estreita que nas voltas que davam passavam um em cima do outro. Ao chegar no andar de baixo, sem saber bem o que era em cima e embaixo, ficaram de pé e voltaram a correr, desta vez sobre chaminhas minúsculas, por sorte ralas, esquivando-se das vigas que caíam. Agora sim, estavam no coração da conflagração. Tampouco ali puderam ver alguém. Será que todo mundo já tinha conseguido sair? Seriam os últimos? A saída parecia próxima, a julgar pelas correntes de ar que os arrastavam de um lado para o outro. Mas essas mesmas correntes avivavam o incêndio, as chamas tornavam-se gigantes, velocíssimas.

Foi então que foram testemunhas de um espetáculo que ficou gravado nos seus olhos para sempre, unindo-os no segredo. Sugado por uma ventosa gigante se abriu um buraco numa parede e saíram correndo dele, feito ratos, uns trinta ou quarenta padres com batinas. Corriam por suas vidas e o desespero com que o faziam aperfeiçoava a semelhança com animais (ratos, corvos, cães). Alguns eram jovens, outros velhos, e até muito velhos, mas todos estavam animados por uma vida mecânica e energizante; a ansiedade pela salvação lhes dava asas; a vida terrena tornava-se mais valiosa, na emergência, que a esperança de uma salvação de além-túmulo ou um martírio bem pago. Gritavam, mas o estrondo permanente do fogo não deixava se ouvir nada. Os desabamentos e explosões não os detinham. Quando necessário pulavam sobre as chamas, fazendo as batinas parecerem sinos, com uma concentração raivosa. Em poucos segundos, estiveram à altura de Leticia e

Enrique, que ficaram paralisados pela surpresa, e seguiram para longe sem olhar para eles. As duas crianças viraram a cabeça na direção deles e os viram se precipitar num vórtice de fumaça escura. Eram jesuítas. Foi necessário um incêndio para que eles se revelassem e a máscara de progressismo laico e teosofia alemã caísse. Toda a passagem não durara mais que uma fração ínfima de tempo; os dois pequenos fugitivos foram atrás deles, com um instinto certeiro, ainda que os torvelinhos de fogo e vento escuro se tornassem mais violentos naquela direção. E, de fato, era uma queda. Escorregaram a uma velocidade inaudita enquanto o Colégio se tornava nada. Bem a tempo. O edifício mantivera a forma até um segundo antes, por causa das mariposas. As árvores do parque continham uma infinita quantidade de larvas. Essa quantidade desmesurada era uma salvaguarda da natureza, muito comum entre as espécies mais expostas à depredação. Cada mariposa punha um ou dois milhões de ovos, prevendo que os pássaros comeriam quase todas as larvas, mas, de tão grande número, era inevitável que sobrevivessem duas ou três, ou em todo caso uma só, e com isso sua missão reprodutiva estava cumprida. Os pássaros esperavam que as larvas chegassem a certo estágio de desenvolvimento, quando ficavam mais suculentas. Esse estágio, na noite do incêndio, não chegara ainda, motivo pelo qual o total de larvas continuava intacto. E o calor do fogo apressou a eclosão; todas abriram as asas ao mesmo tempo, numa quantidade nunca vista, e se precipitaram em direção à luz brilhante do fogo, por um atavismo ao qual não sabiam resistir. Colaram-se todas ao edifício em chamas, sem se importar em morrer: essas espécies de seres minúsculos e pouco individualizados, a fim de cumprir os requisitos do instinto (como se dissessem "ele saberá"), fazem caso omisso da morte. Eram tantas, tantos milhares de milhões, que chegaram a cobrir, numa elástica camada viva, ainda que à beira da morte, cada milímetro do enorme castelo, não apenas paredes e tetos, mas cada uma das cornijas, cada degrau de entrada, escudo, carranca e até os postigos das janelas e as maçanetas das portas. Era o edifício inteiro, em todos os seus detalhes, mas de mariposas com asas abertas; o simulacro arquitetônico que constituíam, agora sim o palácio dos sonhos, transparente, todo de sombrias asas de borboleta, perdurou por alguns segundos depois do desabamento, por dentro do edifício real, e a membrana de mariposas ardeu toda de uma vez num único clarão e desapareceu. Foi justo nesses segundos que Leticia e Enrique tocaram o fundo da velha sala de bilhar subterrânea, desativada desde que os antigos donos da mansão a venderam à Companhia. Mas mantinha-se uma mesa, com um feltro verde surrado, e sobre ela a reprodução em escala do Colégio, onde os mil internos tinham buscado refúgio. O Plano de Evacuação, muito engenhoso, baseava-se na segurança oferecida por uma mudança repentina de dimensões. As crianças vacilaram. Mas não tinham opção. Todos já haviam entrado, eles eram os últimos. Uma olhada para trás mostrou-lhes o monstro em chamas que caía...

Não viam como poderiam caber nessa maquete do tamanho de um baú, sobretudo pensando que eram dois (porque não tinham intenção de se separar), e que a ideia, uma vez ali dentro, era correr até encontrar a saída e, ainda mais, que já tinham entrado outros mil... Mas a fama desse segundo Colégio repousava no fato confirmado de que até o menor detalhe do Colégio real estava reproduzido com a maior exatidão, o que era uma garantia de espaço.

E, de fato, ainda que apertados, conseguiram se esgueirar. O problema foi que não enxergavam nada. Mas esse inconveniente logo foi solucionado: os filamentos, invisíveis de tão finos, representações do cabeamento elétrico, se soltaram e pegaram fogo. Foi como se estivessem esperando os dois, que eram os que faltavam. O interior da miniatura começou a brilhar como uma lâmpada. Talvez tivesse sido planejada como "foco do saber". Maravilhados, boquiabertos, Leticia e Enrique puderam contemplar essa obra-prima liliputiana, em que cada quarto, cada móvel, cada objeto estava reproduzido com a mais perfeita minúcia. O efeito de realidade produzido era tal que não pareciam reproduções, mas os originais vistos através de um cristal. E agora o tempo, a paciência e a habilidade dedicados se viam ameaçados. Pois os filamentos, animados por uma violenta vida elétrica, começavam a transmitir sua luz, em forma de fogo, a tudo que tocavam. Pulavam, se enroscavam, laçavam as cadeiras como se estivessem sendo manipulados por vaqueiros hábeis, enfiavam-se debaixo dos tapetes e corriam até sair pela outra borda, fazendo-os ondular e esquivar-se nos limites da chama, ou estalavam como chicotes contra as bibliotecas, carregadas de livros que, apesar do seu mínimo tamanho (0,1 por 0,18 milímetros), tinham todas as páginas cobertas de texto. Que difícil teria sido lê-los!, pensavam as crianças, para as quais já era difícil ler os livros normais. Só com um potente microscópio, fazendo as palavras correrem pela platina. A escuridão dividia-se em diminutos hemisférios irregulares, com pontos vermelhos sobre o breu que persistia. Os filamentos, por menores que fossem, por mais que terminassem quase onde começavam, tornavam-se volumes e, sendo intangíveis e móveis, principiavam uma corrida escorregando sobre todas as superfícies. O incêndio iniciava-se em todas as partes de uma vez, a fumaça brotava como um fungo cinzento que se repetia, se transformava, rodopiava. Mas existiam fungos tão pequenos? Os da penicilina, talvez. As chamas abriam portas de brinquedo fechadas, fechavam as abertas, criavam a própria circulação, demonstrando de passagem que a maquete estava tão bem feita que todas as portas se abriam e se fechavam, e as fechaduras tinham chavezinhas que brilhavam. Alguns focos de incêndio, separados por centímetros, reuniram-se antes que começassem as correrias e os gritos. Ouviu-se um tique-taque velocíssimo e tão baixo que só era audível em seus agudos. Nessa dimensão o tempo devia passar mais rápido. Leticia e Enrique não tinham esperado encontrar um incêndio também ali; não tiveram tempo para esperar por nada, mas obscuramente haviam suposto que teriam uma trégua; desanimava-os que o esforço e o incômodo de descer a essas reduções não tivesse servido para nada. Mas servia ainda menos se lamentar, e então correram por suas vidas pelos corredores do Colégio em chamas, desta vez o mini-Colégio. As distâncias eram tão curtas que eram percorridas ao primeiro passo, quase antes de tê-lo dado. Mas a vantagem que poderia haver nisso não existia porque o fogo também a tinha. Mesmo sem ter tido a experiência prévia de um incêndio num espaço reduzido em escala 1:100, podiam deduzir como funcionava. Não devia ser difícil sair de um "edifício" que era menor que eles. Asseguravam-se na convicção de que "não era de verdade". Essas caminhas de palitinhos, com a imitação perfeita dos lençóis, até as dobraduras em papel de seda, que se acendiam com uma pequena explosão e ardiam enroscando-se como um caracol, podiam ser apagadas com um sopro. Poder dizê-lo talvez os tivesse acalmado. Mas, quando tentaram falar, uma partícula de fumaça entrou pela garganta e os fez tossir. A tosse sacudia paredes e tetos, criando ventanias internas que avivavam as chamas. Mais cedo do que gostariam se viram correndo entre os outros alunos, o repetido milhar que se batia num aperto inconcebível; o caos vinha dominado por dois sentimentos contraditórios: o da falta de consequências que podia ter um incêndio em miniatura e o de temor ao fogo que, como não tinha um tamanho de referência, podia matar tanto no grande quanto no pequeno. A falta de luz não contribuía. Se bem que o fulgor das chaminhas era intenso, e os corpos de tantas crianças em movimento, enormes em comparação, faziam sombras por todos os lados; as imagens apareciam de forma desconexa, sobre planos tortos e fugazes. A urgência crescia. Não apenas porque os tamanhos tornavam tudo mais imediato, e a salvação e a perdição estavam coladas a eles, mas porque este episódio era uma "segunda chance", como quando o professor fazia prova de recuperação, e não haveria outra.

Ainda que tudo fosse supostamente igual, havia coisas que na nova dimensão tinham mudado. O fogo, por exemplo, que sofreu mutação em sua consistência e textura, era mais compacto, mais brilhante e corria pelo ar em círculos, com uma fluidez de líquido, de mercúrio. Dava a impressão de que sua ação, mais do que queimar, seria de espetar. Mas não ficaram para experimentar seus efeitos.

Correndo atravessaram um quarto, que era de meninas; Enrique confirmava que havia um reverso desconhecido ao internato de meninos do anverso. O corredor central de um extremo a outro não media mais do que um pé; as meninas reais nas camas em miniatura pareciam grandes demais, feito ursos espremidos num dedal; choramingavam num terror simulado, faziam um concurso de gritos, mas o jogo tornava-se real quando lâminas azuis de fogo começavam a envolvê-las e então pulavam e fugiam. Várias os seguiram, mas antes de chegar às escadas, pelas quais um soldadinho de chumbo teria subido ou descido com dificuldade, uma turba de estudantes que vinha em direção contrária dispersou-os e obrigou-os a virar por corredores escuros. Em outras escadas ainda mais estreitas apertavam-se multidões de alunos, testando ficar uns em cima dos outros, até que queimavam um dedo, se assustavam e se retorciam loucamente para se desprender do nó de corpos no espaço exíguo. Reinava em geral o mesmo mecanismo psicológico que Leticia e Enrique tinham observado em si mesmos: a diversão e o jogo da maquete onde a realidade não era de verdade, seguidos pelo medo ao sentir que, verdadeira ou não, ela impunha-se de qualquer modo. Não era impossível que nessa colisão de dimensões diversas o instinto de sobrevivência se anulasse ou ficasse confuso. Ninguém queria perguntar se era o único que conservava o desejo e a necessidade de sair, porque suspeitavam que a resposta era afirmativa, e preferiam não enfrentar a verdade. A única coisa certa era que não podiam esperar por nenhuma ajuda; antes deviam esperar que as ações mecânicas e gratuitas dos demais os desorientassem e obstaculizassem. Mas, pensando bem, na sequência anterior também não tinham recebido nenhuma ajuda, nem a de um acaso benévolo. Áreas inteiras do palácio, num grão de arroz, fileiras de salas de aula, salões, escritórios, outros tantos monumentos do hobby de construção com lupa, continuavam alheios ao fogo, pacíficos e vazios. Mas as áreas afetadas e as não afetadas eram contíguas, mais contíguas do que nunca, e como o fogo era a resposta da matéria à contiguidade, o incêndio já estava em todas as partes. Um estrondo no terceiro andar, que agora soava como o *toc* de um hashi numa tigela de arroz, indicou que fora derrubado o andar de um quarto cujos ocupantes, meninos que se retorciam para manter o equilíbrio sobre camas minúsculas, se divertindo cobertos com lençóis que eram quase que só um fio, brincavam de continuar dormindo: caíram com camas e tudo no andar inferior. Essa microcatástrofe dentro da microcatástrofe deu o sinal de que o contíguo, de tão exacerbado, mudava de natureza. Os espaços, tão pequenos que se diria que neles não cabia nada, pareciam querer demonstrar que alguma coisa cabia, apesar de tudo: o espaço; penetravam-se em asas do fogo, transformavam-se uns em outros. Os numerosos laboratórios e oficinas, reproduzidos com uma exatidão que pasmava (cada tubo de ensaio feito com um único brilho de vidro), explodiam em formatos diferentes, em velocidades diferentes, fazendo do incêndio um fenômeno multidimensional. Leticia e Enrique, sentindo-se mais intrusos que nunca, erravam entre espectros de madeira, telas e provetas; para essas errâncias lhes bastava deslocar o corpo um milímetro; viam passar sobre suas cabeças velozes vasos com flores em chamas, galhos esmagados que se fundiam em obscuridades côncavas, de cujo seio nasciam luzes compactas, espumosas. E tudo isso acontecia na palma de uma mão; era preciso fazer um esforço de concentração para imaginar o incêndio em tamanho real, que era o único modo de entendê-lo, ou ao menos de concebê-lo. Mas não tinham tempo para exercícios mentais que nessa circunstância eram luxos inoportunos. Deviam continuar fugindo, mesmo que tanto as áreas iluminadas quanto as escuras lhes parecessem capilares. Adentravam nos sucessivos corações mais íntimos da maquete. Leticia e Enrique estavam sempre de mãos dadas, e quando seus rostos, grandes como os salões solenes, ficavam diante de um dos furos abertos pelo fogo, buraquinhos feito espetadas de agulha, viam transversais extensas de destruição. Algumas derrubadas do papelão e do papel machê que representavam as paredes tornaram os trajetos irreconhecíveis, se é que se podia chamar essas instantaneidades de trajetos; embora também pudesse ser que, dado o escasso espaço que o Colégio agora ocupava, com os metros reduzidos a centímetros, tivessem passado, apenas inclinando a cabeça num gesto de dúvida, para um setor do prédio que não conheciam. Atravessaram, senão com os pés, com a pupila, um grande salão cujas janelas explodiam uma após a outra; a sensação de "grande" tinha sido alcançada com perícia de artesão, e os vidros, representados com um recorte de papel manteiga, representavam por sua vez o estouro com uma cusparada subatômica de cinzas. Encontravam-se de repente na galeria alta que dava para o grande salão de atos, grande só relativamente, porque agora devia medir cinco centímetros de parede a parede. O fogo tinha chegado antes. Os adornos do teto acendiam-se em quadriculados vermelhos e derramavam lágrimas de fumaça cinza que flutuavam a meia altura. As chispas, tradicionais transmissoras do incêndio, pequenas por si sós, nesta redução, para guardar as proporções, eram verdadeiros pontos. O piano encheu-se de fogo e explodiu, mandando, para todas as direções, um crisântemo de fragmentos de mogno e marfim, suas teclas e seus martelos. Era triste ver consumindo-se dessa maneira, num instante, uma miniatura que tinha de ter levado centenas, talvez milhares, de horas de trabalho com pinças afinadíssimas e microscópios. Qual ser proveniente do quase nada teria os dedos mil vezes mais finos que a pata de uma aranha para tocar nesse piano os noturnos de Chopin? Com todo o resto dentro dessa casinha mágica feita como hobby ocorria o mesmo, mas o piano, tour de force da bricolagem de precisão, causava uma impressão mais forte. As arvorezinhas dos canteiros em volta do salão sacudiam suas copas redondas como se estivessem possuídas, feitas de uma única cariocinese. Do outro lado do vazio, na varanda da frente, havia uma escada, mas por ela subia o fogo, em forma de chaminhas recortadas em papel glacê azul. Os quadros, reproduzidos com a exatidão costumeira, caíam das paredes com *plócs* de gotas. Havia alguma coisa que não estava bem explicada, porque o senso comum indicava que o fogo não poderia ser reduzido em escala como um objeto qualquer. E se continuava sendo o mesmo, então estava posto um problema, outro dos tantos problemas que se resolviam segundo a "regra de três simples" com que se passava de uma dimensão a outra. Se o Colégio tinha sido queimado em cinco minutos, quanto poderia demorar para queimar sua reprodução em escala de um para cem? Se o fogo era irredutível à redução, então era preciso postular uma redução do tempo. Talvez fosse o normal no caso de uma repetição traumática. Essa plataforma, de tão estreita, corria numa única direção, e desembocava num labirinto de pequenos quartos. Era escandaloso que com o alto preço cobrado nas matrículas e nas parcelas os falsos progressistas liberais donos do Colégio alojassem seus professores, já eles próprios malpagos, em quartos tão mesquinhos e mal ventilados, nos quais não um anão, mas um bonequinho de Playmobil, teria que se dobrar em dois, ou em quatro, para caber. Persistia a sensação, e se ampliava pela dimensão de casa de bonecas desses cubículos, de que teria bastado uma pisada para extinguir o incêndio. Mas cabia a suspeita de que fosse uma armadilha para que baixassem a guarda. Aceleraram o passo, que já, no aperto coletivo, era apenas um movimento das pupilas; tentavam assomar a um espaço onde pudessem escolher as portas e não fosse preciso passar pela única que havia diante deles. As paredes dos quartos começavam a suar ao fogo. Com um indício de pânico, temeram estar percorrendo círculos com o olhar, ainda que não parecesse provável que houvesse círculos num lugar onde as linhas retas mal tinham para onde se mover. Quando a fumaça se tornou mais espessa e a marcha tateante, de repente uma fina corrente de ar frio os arrastou para baixo; era incrível que uma brisa fina como uma agulha pudesse arrastá-los, mas era verossímil dentro das regras do jogo que pareciam estar obedecendo. O certo era que caíam, ora de cabeça para baixo, ora de cabeça para cima, por uma escada em caracol feita com marmorezinhos cortados por um ourives de inframundo, que imitavam até aquelas curvas feitas nessas escadarias de mármore muito transitadas nos edifícios públicos. O tombo serviu para alguma coisa, pois ao chegar embaixo já não estavam tão apertados: ficava um breve espaço, de vários centímetros, entre eles e uma parede. Olhavam para ela, porque não podiam fazer outra coisa: suas cabeças tinham ficado encostadas umas nas outras, têmpora contra têmpora. E nessa posição, como num cinema microscópico, viram a repetição de um espetáculo que ficou gravado nos seus olhos para sempre e que os uniu no segredo. Sugado por uma ventosa do tamanho de uma partícula de pó, abriu-se um buraco na parede e dele saíram correndo vários milhões de padres com batinas. Eram jesuítas, os jesuítas que manipulavam o tempo todo as rédeas do Colégio, atrás da fachada laica de avant-garde pedagógica. O aumento de número devia-se ao fato de que cada padre era feito de um único átomo. Mesmo nesta máxima compressão mantinham suas características: alguns eram jovens, outros velhos e até muito velhos, da época da fundação por Inácio de Loyola, mas sua condição de átomos concedia-lhes uma prodigiosa agilidade. Os desabamentos e explosões os detinham, e eram até capazes de se enfiar entre os átomos da escadinha. Entre seus prótons e elétrons não sobrava lugar para a simulação, e todos escapavam da morte à velocidade da luz, cada um por si, com o egoísmo da matéria, confirmando, caso restasse alguma dúvida, que não havia outro mundo além do mundo.

LETICIA OLHAVA PARA ELE com um sorriso. Enrique, comovido, não tirava a sua amiga recuperada de vista. Mas desviou os olhos, com um suspiro, e então houve outra surpresa. Como antes, não precisou olhar ao redor nem mudar de postura; continuava onde caíra a água, que seguia correndo pelo seu corpo, e com a mão esquerda apoiada no guidão da bicicleta. Simplesmente a pupila se deslocou o mínimo necessário para que o olhar passasse para um lado do rosto de Leticia e pousasse no meu. Ergueu as sobrancelhas num gesto de assombro que modificou a trajetória do arco de água que corria da testa para as bochechas, circundando as órbitas oculares (pouco pronunciadas porque tinha os olhos quase ao nível dos pômulos, como um oriental).

"Kent!"

Por um momento, ao ouvir meu nome, minha razão vacilou. Ouvira bem? Referia-se a mim? Tive que voltar pesadamente à minha pessoa, a quem a surpresa anterior me fizera abandonar. Foi muito rápido, quase instantâneo. Abri os braços com um amplo sorriso, ao mesmo tempo que me punha de pé e me dirigia a ele:

"Enrique!"

Porque eu o conhecia, e muito bem, ainda que fizesse pouco tempo: era o dono do albergue onde eu me hospedava. Como não o reconhecera antes? Tinha menos justificativas que Leticia, que passara anos sem vê-lo: eu o vira naquela manhã, e na noite anterior ficamos conversando por um longo tempo. Mesmo assim, havia explicações: não o vira antes de lhe cair o jorro de água na cabeça, e então o que vi foi isso, o jorro, o acidente, e imediatamente depois vi o encontro e reconhecimento com Leticia, e o "Enrique!" dela vinha tão carregado de reminiscências pessoais que não evocou o "Enrique" que eu sabia que era o nome do dono do albergue.

ERA UM ALBERGUE INFORMAL-REFINADO, que atraía uma clientela cosmopolita, culta, ao mesmo tempo muito e pouco exigente, de acordo com sua obediência à moda. Na época da inauguração tinham se difundido os hotéis e albergues "temáticos", o que significava que a decoração, o pessoal, o tratamento, o ambiente em geral, respondia a um determinado tema, que podia ser o budismo, as expedições polares, a música clássica, a Idade Média, o mundo submarino, o tango, o filme *noir* e outros mil mais. Ao ritmo da transformação de Buenos Aires em meca turística, esses estabelecimentos proliferaram de tal forma que começou a se tornar difícil encontrar um tema que não tivesse sido usado. A escolha, que no fim das contas não exigia mais que um pouco de engenho, e em todo caso a consulta de um dicionário com os olhos fechados, era apenas o primeiro passo; depois, punha-se em jogo certa sensibilidade artística, ou teatral, para que o lugar cumprisse a promessa feita por seu assunto fundacional. Havia graus e qualidades de realização. Alguns prendiam-se à moda somente porque era moda, mas sem se comprometer com a ideia; procuravam algo fácil, por exemplo, a Polinésia, e se contentavam em pendurar alguns pôsteres de surfistas e umas reproduções de Gauguin. Outros excediam-se no sentido contrário e até a última colherinha de café aludia ao tema em questão, com o que se criava um clima opressivo, de baile de máscaras implacável, sem saída. Não faltou o enfoque mórbido, inclusive nojento (Death Metal, Hospital, Crime Hediondo), que provou, com a afluência de visitantes, que há público para tudo. Em parte pela "ocupação" de temas mais óbvios, e dos menos óbvios também, em parte por uma progressão ou imitação que se tornava inevitável em questões de moda, surgiram temáticas estranhas, provocativas, deliberadamente difíceis de ilustrar, por exemplo, o complemento. Nenhum desses problemas o meu jovem amigo teve que enfrentar, em nenhuma dessas armadilhas ele caiu, porque sua escolha tinha sido decidida de antemão e acabou muito adequada e produtiva: a Evolução. Não foi uma escolha arbitrária, como a de seus colegas, nem motivada pelo desejo de surpreender, nem pela facilidade ou o desafio de ambientar seu albergue de acordo com a ideia. No caso dele era uma preferência arraigada, um tema ao qual dedicara muita paixão, e com o qual sentia uma afinidade que tornou natural elaborá-lo e com ele conviver. Além disso, não se tratava apenas de uma ilustração, ou talvez tenha ganhado outras dimensões. Pois o conceito da evolução não só se prestava a ser ilustrado nas paredes e no mobiliário do albergue, mas também se encarnava ou se realizava na vida do albergue enquanto empresa: o negócio evoluía pelo crescimento da clientela, pela incorporação de avanços tecnológicos, pela correção de defeitos e pelo aperfeiçoamento no trato com os hóspedes. Fazia poucos dias que eu estava hospedado e já tinha percebido esse movimento evolutivo, não enquanto movimento, é claro, mas sim como um clima, uma postura de impermanência e mudança, que se adaptava (outra característica evolutiva) ao clima psicológico adotado pelo viajante.

Seu compromisso intelectual com a evolução era um resquício, guardado com carinho e agradecimento, de um desses entusiasmos avassaladores tão próprios da primeira juventude. Aos vinte anos, na verdade, Enrique lera o grande livro de Darwin, por recomendação de um amigo. Seu deslumbramento foi imediato, e ao ser compartilhado, não apenas com o amigo que o recomendara mas com os amigos a quem também tinha indicado, só fez se potencializar e afirmar. Ali encontraram as respostas a todas as suas perguntas, até as que nunca acreditaram que chegariam a formular. O mundo iluminava-se através desse cristal mágico.

As mentes juvenis alcançaram níveis de êxtase ao perceber os mecanismos que tornavam o mundo, mundo e os seres, seres. O darwinismo era para eles uma espécie de diamante de beleza inigualável girando no centro da órbita da natureza. Somente quem o experimentou compreende a exaltação desse conhecimento. Um pouco de brincadeira, um pouco a sério, fizeram nascer o Clube da Evolução, e organizaram sessões de debate, visitas ao Museu de Ciências Naturais e excursões a parques nos arredores de Buenos Aires. Durou um ano ou pouco mais. Essas paixões nunca se prolongam no tempo. Os estudos e trabalhos, exigentes nessa idade em que a vida adulta começa, os foram separando, e a convicção darwinista, sem ser desmentida, foi perdendo importância. Dez anos depois, se alguém lhes perguntasse onde estava o mérito incomparável do descobrimento do sábio inglês, não conseguiriam dizê-lo. Ou sim, conseguiriam, mas para isso teriam que entrar, gaguejando e quase às cegas, no labirinto da lógica do discurso, até recuperar aquele centro, o diamante, onde tinham sido tão felizes. Ninguém perguntava, ou ninguém o fazia com insistência suficiente, de modo que se contentavam em ver de longe aquela etapa. Não lamentavam tê-la vivido, e tê-lo feito com a intensidade com que o fizeram. De resto, talvez se perguntassem se não teriam exagerado um pouco. Pois não conseguiam reconstruir os raciocínios com que tinham generalizado o poder explicativo da teoria. Lembravam bem que o tinham feito. A evolução (ou era a adaptação?, enfim, dava no mesmo) proporcionava as razões pelas quais os pássaros cantavam e as folhas dos plátanos caíam no outono, mas também as razões para que os relógios tivessem dois ponteiros e existissem gagos e Júpiter fosse maior que Saturno. Era a chave universal, para colocar o tempo de jogo a favor do pensamento. E no fervor da compreensão entravam numa vertigem. Não tinham se perguntado, por acaso, se o mundo inteiro não seria um grande Clube da Evolução, do qual o deles era um modelo em escala, uma célula? Quando o fervor passou e o Clube se dissolveu, suas vidas seguiram; não é que então tivessem parado; ao contrário, fora uma fase de aceleração, depois da qual foi retomado o ritmo normal. Talvez poderiam ter pensado que sobre eles também agira a Evolução, e como seria de outra maneira? Não só agira como continuava fazendo-o, e nunca se interromperia, e a ela obedeceriam todas as mudanças e aventuras que ainda lhes faltavam viver.

A existência do Clube, como disse, foi breve, um ano mais ou menos. Mas dentro desse intervalo, apenas durante o primeiro mês, ou nas primeiras semanas, esteve focado na Evolução. De fato, quase desde o começo houve um desvio da atenção devido à entrada de um sócio ao qual o tema não interessava. A informalidade com que os jovens tinham organizado suas reuniões tornou possível que Jusepe, um amigo comum de vários deles, se integrasse no grupo mesmo sem ser atraído pelo darwinismo. Ele levou as conversas para o lado dos próprios interesses, que num primeiro momento pareceram dignos de atenção, pois o jovem praticava a escultura. Em pouco tempo, nas reuniões já não se falava mais de Evolução. Tampouco de escultura; mesmo que se dissesse eficiente nessa arte (nunca o demonstrou), Jusepe não tinha os conhecimentos devidos para falar da sua história, nem a capacidade conceitual para raciocinar e teorizar. Era curioso, quase inexplicável, que nessas condições ele conseguira se impor, um contra todos, ainda mais levando-se em conta o ardor que reunira os outros. Seu triunfo não foi deliberado, nem um pouco. Deu-se pela força da sua personalidade, por uma gravitação ou magnetismo que lhe era natural. Impunha-se por uma presença animal, à qual não precisava acrescentar nada. E realmente não tinha muito a acrescentar: nem cultura, nem graça, nem um talento verdadeiro. Mas se impôs, tornou-se o centro do pequeno grupo de amigos, e como o tema da Evolução lhe era completamente alheio, não se falou mais dele. Era preciso buscar as razões desse domínio, que exercia sem se propor e sem ser consciente dele, não só no vigor da sua personalidade, mas no contraste com relação aos outros membros do Clube. Eles eram herdeiros de famílias ricas e cultas (empresários, advogados, psicanalistas), enquanto ele era da mais humilde origem. Não falava disso, não a exibia, mas não era necessário: sua despreocupada brutalidade, a falta de modos, as cuspidas com que semeava o chão ao seu redor falavam por ele. E, além disso, falava muito; onde estivesse, ninguém mais falava; fazia-o com a entonação monocórdia das classes baixas, ou dos que nunca tiveram a oportunidade de aprender que a oração tem sujeito e predicado. Seus temas eram primitivos: futebol, mulheres, dinheiro. Como não lia os jornais, tinha pouco a acrescentar a respeito dessa trilogia popular, mas o dizia sem parar e sem escutar interrupções. Do futebol, reclamava contra as somas milionárias pagas aos jogadores; as mulheres, odiava com violência, certamente por suspeitar que nenhuma lhe daria bola (era muito feio); e em matéria de dinheiro, das duas uma: podia jactar-se do que pensava em ganhar no futuro ou lamentar que o monopolizassem todos os corruptos e os acomodados. Sempre parecia indignado, mas com essa indignação resignada do oprimido, da vítima ancestral da história. Fazia os outros se sentirem culpados por seus privilégios, paralisando-os com uma espécie de horrorizada fascinação. Sem confessá-lo entre eles ou para si mesmos, tinham vergonha de ter feito uma coisa tão inútil, do ponto de vista da crua realidade que Jusepe representava, como ler Darwin ou acreditar na evolução. Simplesmente não voltaram a mencioná-la.

E no entanto, em virtude do feitiço que eles mesmos tinham criado, a evolução continuava presente, ao menos como metáfora. Como num desses truques de prestidigitador, em que "a mão é mais rápida que o olho", a evolução havia sido substituída por Jusepe, onde antes estivera uma agora estava o outro; mas a troca não tinha sido tão limpa, ficando no ar uma espécie de "fantasma" conceitual, que se manifestava na história do jovem escultor.

A origem familiar não deve ter contado tanto na formação do seu caráter, porque os pais logo se livraram dele, antes de completar dez anos, deixando-o aos cuidados de um escultor. Foi uma decisão um tanto bárbara, própria de outras épocas menos preocupadas com a psicologia e os direitos legais da infância; em outras circunstâncias, teria sido passível de sanção judicial, porque equivalia a um puro e simples abandono (de fato, pais e filho não voltaram a se ver). Dava-se o agravante de que não conheciam o homem em cujas mãos tinham depositado o filho. Bastou-lhes saber, de maneira indireta, que era um escultor que vivia no seu ateliê e procurava um menino que o ajudasse e substituísse o que servira até então, que falecera. Eram antecedentes e perspectivas arrepiantes, mas eles não se importaram. Sem saber, estavam pondo à prova, do modo mais anacrônico possível, uma das mais produtivas instituições da Europa medieval, a do aprendiz. Essa tradição, na sua hora e lugar, mantivera vivos saberes e habilidades, mediante uma transmissão vital e comprometida. Mas essas virtudes podiam se voltar contra eles e o seu efeito, potencializado pela inversão, se tornar fatal. No caso de Jusepe, a fatalidade ganhou a forma da morte da alma e esta a de uma perda definitiva dos modos. Deveria ter sido o oposto. O contato cotidiano com um artista deveria tê-lo refinado. As condições em que esse contato se desenvolveu tornaram-no obtuso e brutal. Se algum traço de civilização se colou a ele nos anos da primeira infância que passou com a família, ele os perdeu junto a Mandam. Não poderia ter sido diferente, já que o escultor era um verdadeiro selvagem. Um sujeito naturalmente desaforado que encontrara na desculpa da arte, ou no mito do mal-entendido do artista, o salvo-conduto para exercitar sem travas os seus piores impulsos. Beneficiava sua impunidade o fato de viver recluso, num galpão ao fundo do corredor de pobreza de Quilmes, onde os lixões e os terrenos baldios da costa do rio abrigavam populações desarraigadas e instáveis, quando não criminosas. Nunca saía (por isso precisava do "moleque de favores"), não tinha relação com ninguém. Quem sabe por que tipo de milagre adverso os pais de Jusepe souberam da sua existência. A vida do menino ganhou as cores mais sombrias, metafórica e literalmente, e isso porque o galpão que agora era sua morada não tinha janelas, e a cortina metálica que fazia as vezes de entrada quando ali funcionava um depósito estava estragada e não se movia mais. Entravam e saíam por uma abertura lateral, sem porta, um buraco fechado com tábuas. O velho dormia quase o dia todo no único catre, nesse tenebroso ambiente povoado por ratos e formas monstruosas, com o menino acocorado num canto, escutando os roncos e alimentando uma angústia à qual se acostumou tanto que deixou de senti-la. Não se atrevia a sair, não só porque o escultor ordenara-lhe que não o fizesse, mas porque temia os cachorros soltos que proliferavam nesses charcos apartados. Mandam acordava ao entardecer; na feroz demência das suas ressacas, entrava numa pseudoatividade frenética. A primeira coisa que fazia era bater no menino, a segunda mandá-lo até o armazém para comprar comida e vinho. Aí sim, só lhe restava enfrentar os cachorros. O medo que sentia deles era bastante justificado, pois esses bichos tinham um histórico de sangue que se não chegara aos ouvidos da opinião pública era porque ninguém se dava ao trabalho de lhe informar. Que Mandam o enviasse para "comprar" era um eufemismo: a tarefa era pedir fiado, mendigar, roubar. A recompensa, vara de marmelo. E não terminavam aí os seus trabalhos e pesares; nem mesmo tinham começado. A humilhação da mendicância, piorada por ser em benefício alheio, e o acréscimo dos cachorros, não era nada em comparação ao que lhe esperava lá dentro, quando os avanços da noite e da intoxicação fizessem brotar delírios de trabalho no amo. Então se iniciava um traslado, de um lado a outro, das grandes pedras que formavam uma montanha na escuridão do fundo do galpão. Capenga, desnutrido, faminto, feito um maço de nervos insones e temerosos, Jusepe era o executor das ordens que ia compreendendo cada vez menos à medida que a voz do amo se tornava mais arrastada. O velho na realidade não sabia o que queria.

Queria que uma pedra de cinquenta quilos que estava no fundo ficasse no centro do galpão, para vê-la melhor. Mas vê-la melhor não lhe servia para nada. Queria que pusesse do lado outra pedra que antes mandara levar para o fundo, para poder compará-las. Ou se obstinava em fazê-las parar sobre sua face mais curva, provocando um bamboleio incontrolável; era preciso arrastar outras para sustentá-las. A luz de vela não chegava aos recessos do galpão, e Jusepe tinha que tatear, tropeçando, espantando ratos e aranhas que não eram menos assustadores porque não podiam ser vistos, pelo contrário. Como essas pedras tinham chegado até ali? Era um mistério, como o era sua natureza. Não era mármore nem granito. Devia ser algum tipo de calcário. Eram informes, com buracos e saliências. Às vezes algumas se desagregavam no leva e traz e produziam um pó que brilhava na escuridão, quando ao final a vela se apagava. Também era misterioso, ainda que não tanto, que um sujeito cuja única relação com a pedra fosse mandar mudá-las de lugar continuasse se considerando um escultor. Teria exercido o ofício em algum momento da sua vida? Ali no galpão não havia nenhuma prova disso. Mas esse mistério se explicava pelo abuso de álcool barato e pelo amolecimento mental. De qualquer forma, era interessante enquanto lição: havia gente que podia acreditar que era algo que na realidade não era, e podia acreditar nisso sinceramente e até governar sua vida por essa crença. Mas foi uma lição não muito proveitosa para o menino por ser de aplicação puramente negativa. Serviu-lhe mais a aprendizagem difusa que lhe brindava a vida que se viu obrigado a viver por esses anos. Amadureceu mais rápido do que teria feito num meio normal. E ter amadurecido em direção à selvageria não fez grande diferença. Afinal, a sobrevivência era uma só, a mesma para pobres e ricos, para bárbaros e civilizados.

Um dos seus primeiros gestos de independência teve a ver com os cachorros, e era lógico que assim fosse já que tinham sido os cachorros os que primeiro o mantiveram preso, com sua ameaça. A necessidade fizera com que os enfrentasse, nesses tétricos crepúsculos em que ia ao armazém de d. Inocencio. Eram matilhas numerosas, compostas de indivíduos sempre parecidos: grandes, magros, os olhos bem expostos (em geral eram animais de pelo curto), bem laterais, quase como dos cavalos, mas com olhar humano, embora humanos maus, ansiosos, cheios de ódio e medo. Esses olhos não pareciam ser deles. Como sabia que um dos alimentos favoritos dessas bestas eram os fetos provenientes de abortos, ou os bebês, que eram jogados ali pelos habitantes das vilas costeiras, relacionou as duas coisas e não duvidou mais da humanidade desses olhares, uma humanidade que vinha do outro lado do humano. Não fizeram nada a ele, além de assustá-lo. A princípio achou que não o viam, depois, com o tempo, começou a achar que o temiam, por algum motivo, talvez pelo cheiro. Talvez fosse por alguma coisa que só eles podiam notar. Às vezes, quando voltava já no escuro, via uma auréola de brilho branco nas suas mãos, pernas, pés, em todos os rastros que deixava; atribuiu-o ao toque nas pedras de Mandam e supôs que talvez fosse este o brilho que o preservava dos cachorros. Também poderia ter pensado que não lhe davam bola porque estavam muito ocupados com seus assuntos. E realmente estavam. O sexo era uma constante. Os machos faziam fila atrás das cadelas no cio, mas os turnos não eram respeitados porque algum sempre ficava preso, e a dupla caía e rolava, agitando as oito patas e lançando dentadas com as duas cabeças, porque os que esperavam se enfureciam e os atacavam. Outras vezes, quando esse espasmo acontecia, o mais forte dos dois animais presos, podia ser o macho ou a fêmea, sem distinção, punha-se de pé e fugia arrastando o outro, que se agitava como um farrapo, se desconjuntava e sapateava no ar sem poder se desprender, tudo entre latidos ferozes e o ataque da matilha, que se enfurecia mais do que nunca. Não era necessário que acontecesse esse acidente sexual para que se desencadeasse a violência. Estava latente, a um milímetro da superfície, e bastava um nada para a explosão: a disputa por um rato, ou por um osso desenterrado, ou a mera necessidade de descarregar seu ressentimento de bestas marginais que ninguém queria. O canibalismo não estava excluído de seus hábitos. Os cachorros não sobreviviam. Não pareciam se importar com a preservação da espécie. E no entanto, sempre havia mais. Nos anos que Jusepe passou no galpão viu aumentar a população deles. Às vezes desapareciam dias inteiros, voltavam em massa acompanhando as carroças puxadas por cavalos magros, se instalavam de volta nos baixios da costa, reproduzindo-se freneticamente e latindo dias e noites com essa raiva que não cessava, trançando-se em combates. Jusepe notava que no meio do caos armado havia sempre um que se enroscava no chão e dormia pacificamente, como se estivesse em outra dimensão. As inundações, que eram frequentes, os amedrontavam. As brigas mortais com gaivotas se agravavam, assim como as grandes matanças de aves, depois das quais sobrava o toldo de penas. Ainda assim, era de se imaginar de onde tiravam alimento suficiente. Eram magros, mas por serem atléticos e ágeis, e não por serem esqueléticos (como os cavalos dos carreteiros que circulavam pela costa). E sua atividade acusava um consumo incalculável de calorias. Do menino, com os próprios problemas de sustento, o enigma não chegou a tirar o sono, ainda que tivesse elementos de juízo à sua disposição para ver a resposta. Notara que sempre que passava por um navio, dos que descarregavam no ancoradouro de Ensenada, fazendo suas sirenes uivar, os cachorros corriam para a beira e paravam ali seguindo sua passagem, imóveis e em silêncio, alguns ameaçando um mergulho, mas sem se atrever, como se adorassem um deus provedor. Mas por qual deus, por que tipo de divindade, podiam sentir reverência esses seres abandonados e despossuídos? Só por um deus distante e com chaminés.

Um dia Jusepe testemunhou uma cena que deve ter mudado todas as suas ideias. Aconteceu no armazém de d. Inocencio, aonde o menino tinha ido, como em todas as tardes. Escutou o dono dizer a um cliente que o estabelecimento continuaria aberto depois da hora porque estava esperando o veterinário, ao qual tinha ligado para atender um dos cachorros. Ficou para ver do que se tratava. A curiosidade venceu o temor do castigo pelo atraso. Quando chegou o veterinário, um homem jovem com o jaleco branco dos médicos, e uma bela assistente ruiva, d. Inocencio explicou-lhe que uma cachorra estava incomodada, tossindo e cuspindo. Foi até a porta e chamou: Daisy, Daisy, venha aqui! Da matilha se separou um animal nem maior nem menor que os outros, que se aproximou e se deixou pegar. O doutor começou por auscultá-la, olhou a boca, os olhos (com uma lupinha reticulada) e, depois de uma consulta com a assistente, e de avaliar as tosses que a cachorra produziu oportunamente, chegou a um diagnóstico. Pediu uma mesa para pôr o animal. D. Inocencio esvaziou uma parte do balcão. Deitaram-na, as patas para cima. Deixava-se tocar com docilidade, como se soubesse que era para o seu bem. O veterinário vestiu umas luvas de borracha, a assistente tirou uns instrumentos da maleta e se posicionou do outro lado do balcão, sustentando a cabeça da cachorra e no momento preciso mantendo a boca dela aberta. Com uma lanterninha iluminaram o fundo da sua garganta, e com uma longa pinça prateada, de ponta retorcida, o cirurgião arrancou uma espinha com um único movimento. Exibiu-a triunfante. Era uma espinha de peixe, não muito grande, de uns três centímetros, muito fina e flexível. Parecia mentira que algo tão insignificante tivesse causado tanto incômodo a um animal fornido como aquele, mas, explicou, alojara-se num lugar muito sensível do organismo: num músculo estriado. A cachorra, aliviada e contente, pulou no chão e correu para fora reunindo-se com seus congêneres.

Como consequência desse fato, Jusepe se perguntou se sua ideia dos cachorros, do abandono e da indiferença em que viviam, não merecia uma reconsideração. Vinha acreditando que ninguém cuidava deles, que sua vida e morte não importava a ninguém, e de repente se dava conta de que um mínimo incômodo de um deles provocava uma mobilização de salvamento... A lição não lhe ensinou nada naquele momento, mas deixou uma semente.

O tempo, implacável, fez com que o menino deixasse de sê-lo. Assim como perdera o medo dos cachorros, perdeu o dos fantasmas que o tinham atormentado, e do seu amo, que enquanto isso prosseguira numa pronunciada espiral de envelhecimento e decadência. O abandono e os maus-tratos fizeram com que Jusepe saltasse direto da infância à fase adulta, de plena autonomia. Perdeu a adolescência e, com ela, qualquer possibilidade de se refinar. É o que acontece quando do egoísmo animal da infância se passa ao utilitarismo prosaico da vida adulta, sem a mediação dos sonhos idealistas da adolescência. Os moradores de rua e ladrões com quem começou a se associar foram seus modelos. Pequenos trabalhos à margem da lei, ou nas suas beiradas, foram dando-lhe voo e paulatinamente ele foi deixando o galpão que fora seu lar. A deriva desses trabalhos o levou de modo natural à venda de drogas no varejo e então adotou a fachada de artista ("escultor", pois não conhecia outro ramo da arte) que lhe deu acesso a círculos privilegiados em que pôde vender sua mercadoria. Como depósito desta, e esconderijo dele, o galpão era ideal, mas se continuou vivendo ali por mais tempo do que deveria foi por ter descoberto que o pozinho solto das velhas pedras era ideal para adulterar a cocaína; a que ele vendia era fosforescente, muito requisitada. Ainda assim, teria se mudado antes para um lugar mais confortável não fosse por um fato que avivou sua curiosidade.

Mandam já estava meio prostrado, no último grau do delirium tremens, com uma artrose avançada que tornava cada movimento doloroso e espasmódico. Apesar disso, saía mais que antes, obrigado pelas ausências do seu serviçal. Deve ter sido nessas saídas que começou a lembrar da própria existência e talvez, movidos por compaixão ao vê-lo tão decadente, alguns quilmenses fizeram uma diligência que resultou numa encomenda, a primeira de que Jusepe soube, e talvez a primeira (e tão tardia que era quase póstuma) na vida do escultor. O Secretário de Cultura da comuna em pessoa se apresentou no galpão-oficina para formalizar o pedido. Queriam dar uma estátua à praça arborizada que estava sendo remodelada. Deram-lhe total liberdade de ação; não se tratava de um monumento comemorativo e sim de uma iniciativa puramente estética, de inspiração e elevação do espírito para os vizinhos, que estavam muito necessitados disso. Não queriam interferir na decisão do artista quanto ao tema, apenas se atreveram a sugerir que uma alegoria da Benevolência seria adequada. Fosse o que fosse, se instalaria uma placa com a menção do distinto artista que honrara o distrito ao viver e trabalhar nele durante toda a vida. Bastava olhar para ele para perceber que aquela vida estava com as horas contadas. Mandam arrumara-se para a ocasião, trocando a habitual camiseta furada, as calças de pijama e os chinelos por uma sobrecasaca preta, gravata com laço alto, polainas e um chapéu de abas largas, indumentária anacrônica de artista romântico coberto de pó e comido pelas traças. Isso não chamou a atenção do funcionário, nem o chiqueiro que era o galpão: ia tudo para a conta da boêmia indiferença às coisas materiais. Jusepe, a quem o velho apresentou como seu assistente, presenciou boquiaberto a entrevista, e o interesse despertado nele foi o motivo para que ficasse mais um dia no galpão, mesmo que já tivesse tomado a decisão de ir embora (alugara um apartamento na esquina da Güemes com a Gallo). Somente então se dava conta de que viera acumulando, durante anos, esse interesse por ver o escultor trabalhar, ver como se fazia, como se arranjava e no que resultaria. A curiosidade chegou a tal ponto que se deu ao trabalho, como nos velhos tempos, de arrastar uma pedra extragrande para o centro do galpão. Excitadíssimo, o velho agitava-se balbuciando incoerências. Não atinou sequer a mudar as vestimentas que pusera para receber o Secretário de Cultura para roupa de trabalho, que não tinha porque nunca trabalhara. Dava voltas ao redor da pedra, cambaleando, as mesmas voltas que sempre dera, com a diferença de que nesses casos o habitual era que desistisse em poucos minutos e fosse se jogar no catre com o copo de vinho. Ao contrário, desta vez persistia, falando sozinho e fazendo caretas. Esquecia-se até de beber; é verdade que àquela altura já quase não bebia; o organismo debilitado ao extremo saturava-se ao primeiro trago, ou já estava saturado desde antes. Erguia as mãos em direção à pedra e fazia-as percorrer fileiras em que alucinaria as formas da obra, e fazia frequentes desvios para os cantos, onde escavava ao acaso entre montes de lixo, sem nada encontrar, para voltar depressa até a pedra, cada vez mais encurvado e caminhando com mais dificuldade, como se estivesse sempre a ponto de cair mas o sustentasse uma força interior (da arte?) aliada à morte, e por isso capaz de negociar com ela um adiamento. Passaram as horas. O sol se pôs e a escassa claridade que entrava pela abertura do galpão se extinguiu. As idas e vindas continuavam na escuridão. Jusepe, que estivera o tempo todo sentado no chão com as costas numa parede, contemplando o espetáculo dado pelo velho, acendeu uma vela. Sob seu resplendor, as voltas de Mandam tornaram-se mais fantasmáticas. O rapaz olhou para as sombras projetadas pelo chapéu de abas largas, pelo nó da gravata, pelas asas da sobrecasaca e sobretudo pelas mãos, que em seus gestos extraviados desenhavam nas paredes e no teto do galpão silhuetas de animais, de aviões, de nuvens, de flores, tudo fugaz e monstruoso. Mudou de posição a vela, que deixara sobre uma caixa vazia; colocou-a no chão, mais ao centro, de modo que as sombras ganharam tamanho e definição; um instante depois mudou-a de novo de lugar e assim o fez várias vezes, refinando e precisando o desenho das silhuetas. Foi sua única obra de arte, privada e secreta. O jogo não era apenas visual; o áudio era dado pelos balbucios do velho, que foram se tornando mais roucos, e mais apagados, à medida que se tornavam gritos. Porque havia uma progressão, da qual Jusepe demorou para tomar consciência. A pantomima não era abstrata de todo: representava a angústia do velho escultor por não poder imprimir sua vontade à pedra e lhe dar uma forma. Entendido isso, e não era fácil entender, os seus movimentos ganhavam sentido e até algumas das palavras que murmurava tornavam-se compreensíveis. Procurava as ferramentas que não tinha, os martelos, os cinzéis, a ponta de diamante, o polidor e perguntava-se onde as deixara, quem as tirara do lugar, suspeitava que ladrões tivessem entrado... Alucinava. As ferramentas, se algum dia as tivera, haviam se perdido muitas décadas atrás, numa etapa tão distante da sua vida que era como se tivesse tido outra, sem nenhum ponto em comum com a atual. De repente caiu, suas pernas se dobraram e ficou de joelhos diante da pedra. Sua voz, já um sussurro inaudível, quis crescer num grito contra a pedra insensível que se alçava, como um ídolo rústico, nunca tão alheio à alegoria da Benevolência. A superfície da rocha parecia ondular por causa do tremor da chama da vela e, em alguns momentos, penetrava nessa ondulação a sombra dos dedos do velho, cujas mãos estavam no alto, suplicantes. As correntes de ar agitaram a chama e os ganchos pretos torcidos que eram a sombra dos dedos deslizavam sobre a pedra, impotentes. O velho se calou; sua boca torceu e ficou dura. Sofrera um ataque. Uma convulsão o sacudiu, mas continuou ajoelhado. Nesse momento supremo escancarou os olhos e dirigiu-os a Jusepe. E o jovem, diante dessa súplica muda, teve uma inspiração. Procurou no bolso e tirou uma caixinha de fósforos. Abriu-a. Estava vazia, exceto por um objeto quase invisível. A vela, que se consumira, fazia a última chaminha dançar loucamente, e as figuras e as sombras se embaralhavam com fúria. O que não impedia o velho de fixar o olhar nas mãos de Jusepe, nos indicadores e no polegar com que extraía da caixinha a espinha que vira ser arrancada da garganta de uma cachorra muitos anos atrás. Guardara-a de recordação ou como amuleto. Ergueu-a e mostrou-a para o velho. A fina agulhinha cartilaginosa captava os últimos resplendores. Mandam, já preso pela paralisia, não obstante estendeu os braços para o objeto mágico, em que via enfim a ferramenta com que perfurar a pedra e lhe dar todas as formas da beleza. Mas o jovem, depois de exibi-la por um instante e assegurar-se de que o velho a tivesse visto bem, voltou a guardá-la, com movimentos deliberados, na caixinha, e esta no bolso, e enfiou a outra no outro e, assoviando uma melodia da moda, já na escuridão, porque a chama se extinguira, foi embora para sempre.

Ao consumar a vingança sobre o escultor, Jusepe fazia sua entrada triunfal na vida. Mas ficava, e ficaria para sempre, um resto. Nem a posterior entrada no Clube da Evolução nem a carreira que fez no mundo do crime bastaram para indenizá-lo da ferida psíquica produzida por um episódio da infância. O resto (um pai brutal, uma mãe vítima, a pobreza, a ignorância) terminou digerido; afinal, uma infância submetida à violência contumaz dos adultos não era algo excepcional no Banfield daqueles anos. Muitos, a maioria, sobreviviam incólumes. O episódio que penetrou tão fundo em Jusepe, o casulo narrativo em que se enroscou para sempre a sentença do seu pai ("esse pirralho é um idiota, um retardado mental, não tem salvação"), teve um quê de juízo divino.

Aconteceu num domingo. Ou em muitos domingos. Ou em todos os domingos... A memória é generosa na sua crueldade. Mas não podiam ser todos os domingos pois havia turnos, que eram respeitados e discutidos por ser uma tarefa não desejada, chata, a que todos tratavam de se esquivar e aceitavam, de má vontade, só se fosse a vez deles, para além de qualquer dúvida. Tratava-se de Krishna, o deus em pessoa, alojado (por um milênio, nada menos!) num santuário de Banfield. Um verdadeiro "presente de grego" para uma jurisdição da Grande Buenos Aires em que predominava uma classe operária ocupada demais nos seus afazeres de subsistência para dedicar a menor parcela do seu tempo, ou do seu interesse, para não falar do seu dinheiro, a misticismos ou transcendências. Mas, de todo modo, uma obscura superstição obrigava-os. Por isso, tinham estabelecido turnos a fim de levá-lo para passear aos domingos. Não devia ter sido tão grave, levando em conta que o ano não tem tantos domingos, e Banfield, nos anos 50, quando esses fatos tinham lugar, já contava com uma população de várias centenas de milhares de habitantes. Mas isso seria não levar em conta os poderes de onipotência do divino, poderes entre os quais se encontrava o da redistribuição do tempo e das quantidades que o ocupavam. Daí que a toda hora a penosa tarefa recaía sobre a família de Jusepe; era então "um domingo perdido", a fórmula mais repetida entre os muitos protestos, maldições, recriminações, que germinavam no mau humor geral dessas ocasiões. O pai, sempre à frente de tudo na família, também se punha à frente da queixa, por considerar que era quem tinha mais direito: estourava o espinhaço toda a semana no trabalho alienante e mal-pago, e no domingo, o único dia que poderia desfrutar um pouco, não pedia muito da vida, via-se obrigado a ventilar durante toda a tarde esse execrável espantalho hindu... sem beber nem comer! Sem ganho nenhum, a menos que se acreditasse em contos de fadas (e mesmo assim)! Jamais lhe ocorrera que havia uma ponta de justiça ou injustiça poética em todo o assunto, pois se o domingo era dia de descanso, o era por uma superstição religiosa e, no fim das contas, ficção por ficção, um deus valia o outro. Quanto a descarregar a raiva na família, estava em parte justificado porque os afetados pelo dever cívico do passeio de Krishna eram os pais de família com filhos homens entre oito e doze anos; da sua prole, era Jusepe o que preenchia o requisito etário; as gêmeas eram menores. Esse acompanhamento fora imposto aos poucos, na relativa obscuridade em que se encontravam os vizinhos de Banfield com relação ao deus em questão. Seu aspecto dava para desconcertar qualquer um; uma espécie de anãozinho da altura e constituição de um estudante, pele pálida de bebê em que brilhavam uns grandes olhos pretos rasgados, um nariz proeminente e os mais incongruentes bigodinhos engraxados com ponta para cima. Seus sáris irisados eram de casa de bonecas, as botinas, no entanto, eram ocidentais, vitorianas, mas empoeiradas, gastas e com os cadarços soltos, como se tivessem sido encontradas no lixo. Argolas e colares de plástico completavam o seu traje, que não era o pior nele, em comparação ao seu comportamento, que combinava a comicidade mal-entendida com a puerilidade mais exasperadora. Era esse modo de ser, tão impróprio para a imagem convencional de uma divindade, o que fizera com que fossem famílias com meninos que tivessem de se ocupar dele; meninos da idade aproximada da que o hóspede aparentava, para que tivesse com quem se entreter.

Não precisava disso. Entretinha-se consigo mesmo, ainda que à custa dos demais. Consigo mesmo, ou com o mundo (quer dizer: Banfield, porque não saía dos seus limites). Ele e o mundo pareciam se confundir, pelo modo com que, durante essas saídas, apontava para tudo, como se tudo lhe chamasse a atenção, ou quisesse chamar a dos demais. Uma árvore, uma casa, um cão, um carro, uns moleques jogando bola, a guarita do policial, uma nuvem... Nada escapava da sua indicação jubilosa, numa exaltação que desconhecia atenuações e matizes. O que não existia ele fazia aparecer, com cores gritantes e um contorno nítido demais. Estar com ele equivalia a perceber a população do mundo da maneira mais evidente; em poucos minutos começava a pesar. Toda uma tarde carregando-o podia ser uma tortura. Aos apontamentos acompanhava uma arenga desenfreada, porque cada coisa ia com seu nome, e os nomes com o que deviam ser (não se entendia nada) jogos de palavras, piadas, versos, trechos de canções, o que ele celebrava por inteiro, e era o único que o fazia, com agudas gargalhadas. Ninguém se salvava da dor de cabeça.

O pai de Jusepe tinha um velho Renault Dauphine em que iam bastante apertados, a mãe na frente com as gêmeas nos joelhos, o pai dirigindo, concentrado, os dentes apertados para não soltar algum palavrão que de qualquer maneira escapava de vez em quando, e atrás Jusepe e Krishna. O deus se mexia o tempo todo, de uma janela à outra, ou se inclinando à frente para apontar alguma coisa pelo para-brisa. Seu falatório incessante enchia o carrinho e seus deslocamentos, passando por cima de Jusepe, que tratava de se encolher, e se desprendiam das dobras do seu sári ondas de aromas de especiarias, não desagradáveis em si mas que contribuíam ao mal-estar geral. Jusepe sentia-se vagamente responsável pela situação e fazia uma tentativa infrutífera de lhe dar certa normalidade, seguindo com o olhar o que Krishna apontava e fazendo caretas educadas, não apreciadas, de reconhecimento e assombro. Algo de tudo isso poderia ter lhe interessado, como quando o deus fazia cem pavões com as caudas abertas aparecerem na copa de uma árvore, ou um majestoso tigre se dissolver num redemoinho de folhas secas; mas o efeito se perdia na chatice da vozinha aguda, nas gargalhadas intempestivas, na gesticulação vertiginosa. Nem a criança mais malcriada teria causado tanta fadiga mental.

Essa prova de paciência durava a tarde inteira do domingo, das duas ou três horas até o pôr do sol, e às vezes mais. O feio íncubo desfrutava tanto da saída que buscava prolongá-la ao máximo e não lhe faltava astúcia para encontrar maneira de fazê-lo mediante algum ardil. Uma dessas feriu Jusepe dolorosamente.

A hora da liberação era marcada pelo retorno dos zeladores ao santuário, um casal mais velho que aceitara o trabalho com a condição inarredável de dispor das tardes de domingo. O santuário, que tinha pouco de tal, era uma casa velha meio em ruínas, que o município cedera como quarto a esse casal de aposentados pobres, como pagamento por se encarregar do deus. Dizia-se que esses velhos trancavam-no de segunda a sábado num cômodo escuro; devia ser verdade, e isso explicava a excitação que ele liberava aos domingos. Com o cair da tarde, o pai de Jusepe endereçava o Renault ao bairro, um dos mais sinistros de Banfield, e começava a passar em frente à casa de sempre, espiando o retorno dos guardiães para se livrar o quanto antes do indesejável passageiro. Este, apesar das horas transcorridas, não perdia nem um pouco de energia e sonoridade; continuava tagarelando sem parar e a família já desfalecia de irritação e enxaqueca. Mas nem sempre era aparente se os velhos estavam ou não. Também desejosos de paz, não só prolongavam a própria saída, como não acendiam as luzes ou fechavam os postigos ao retornar, o que esperavam que desse lugar a confusões e lhes estendesse a trégua.

Uma vez (Jusepe nunca pôde lembrar se fora realmente "uma vez" ou se era uma repetição), depois de duas ou três passadas diante da casa e de vê-la sem mudanças, o pai estacionou e mandou Jusepe ver se a porta estava aberta; era a única maneira de saber se tinham retornado: quando os anciãos saíam, a fechavam com chave, quando estavam, deviam deixar aberto porque o santuário era público (ainda que ninguém aparecesse). O menino, obediente, desceu. Krishna foi atrás dele e se adiantou. Pegou a tranca com sua mãozinha branca gorda de unhas pintadas, agitou-a vigorosamente, como fazia tudo, e virou com um amplo sorriso, abrindo os braços num gesto de impotência e gritando algo que poderia querer dizer: "Não, ainda não voltaram, podemos continuar o passeio". Rapidamente se encaminhou de volta ao carro, pulando e dançando, fazendo o seu sári colorido balançar e todas as suas argolas estalarem no cinzento silêncio lívido do bairro pobre. Jusepe ia atrás dele. Mas mal tinha entrado no carro quando o pai virou a cabeça do banco dianteiro e o chamou de "idiota de merda", mandando que cumprisse a ordem que não cumprira: verificar se a porta estava aberta ou não. Ele não entendeu. Por acaso não tinham verificado e visto que estava trancada? O pai teve de repetir, o que multiplicou por cem a sua cólera. Jusepe foi e a porta estava aberta. Krishna o enganara mexendo na tranca, mas sem empurrar. Agora, movida por ele, se abriu e pelo corredor apareceu, com cara de poucos amigos, a velha guardiã. Uma vez liberados do incômodo deus, o pai deu vazão à sua ira. Que filho imbecil era o seu, a ponto de poder ser enganado, e tão facilmente, por essa minúscula tralha oriental! Que ingênuo, que infeliz, que retardado! E isso continuou por um longo tempo; na consciência de Jusepe, continua por toda a vida. Era paradoxal: ser enganado por um deus devia ter sido desculpável; muitos filósofos do mais alto nível perdoaram a si mesmos. Mas ao mesmo tempo era mais imperdoável que ser enganado por um mortal.

EU ME AFASTAVA DO SEU CORPO DEPOIS DE ABRAÇÁ-LO, para não me molhar mais, e ainda não tinha começado a lhe dizer que não o reconhecera num primeiro momento, e preparava na cabeça um comentário ou uma piada sobre o banho sofrido, quando aconteceu outra coisa. É provável que ao me separar do nosso abraço eu tenha inclinado a cabeça para o lado, para olhá-lo melhor e soltar minha piada ou meu comentário. De fato, o abraço já tinha sido um comentário ao seu acidente, uma espécie de apoio espiritual num momento difícil, pois caso contrário não fazia sentido nos abraçarmos com tanta força como o fizemos se nos víramos umas horas antes no café da manhã. Seja como for, ao inclinar a cabeça devo ter dado passagem ao seu olhar, e foi como se sua atenção despertasse para o que via. Não precisei virar. Vi-o olhar para além de mim e responder com uma viva expressão de reconhecimento a uma voz de mulher. Só à voz, não às palavras, pois foi alguma coisa inarticulada. Mas ao ouvir a exclamação de Enrique não pude me surpreender que tenha lhe bastado a voz e que não precisara das palavras para reconhecer quem falava:

"Mamãe!"

Então eu me virei. Na mesa contígua à que até uns segundos atrás ocupáramos Leticia e eu, encontrava-se sentada uma mulher madura, vestida com elegância, em cujo rosto se pintava uma surpresa que se transformava aceleradamente em hilaridade. Sua acompanhante (porque diante dela na mesa estava sentada outra senhora) pareceu não entender o que estava acontecendo e começou a se virar para ver. A mãe de Enrique não se demorou em explicações: já levantava e vinha em direção ao filho imóvel.

"Enrique!"

Além do reconhecimento, na sua voz havia uma carinhosa reprimenda, muito maternal, do tipo "algo tão absurdo e tão cômico quanto aparecer todo encharcado e escorrendo água diante da mãe que não vê há meses só pode acontecer com o meu filho".

MUITOS ANOS ATRÁS, A MÃE DE ENRIQUE APARECERA MORTA, assassinada, no porta-malas de um carro, com cinco tiros no rosto, na disposição que têm os pontos no Cinco dos dados, quer dizer, quatro nos vértices de um quadrado e um no centro. Estava com pés e mãos amarrados, mas sem cortes, arranhões ou marcas de golpes. Um trabalho limpo. O jornalismo ocupou-se clamorosamente do caso, por duas razões. A primeira foi que a posição dos disparos no rosto indicava um crime mafioso, uma "mensagem". Esse misterioso "cinco" significava que o homicídio não se esgotava em si mesmo, mas carregava uma advertência ou ameaça. E ainda que a mensagem só pudesse ser "lida" por poucos entendidos, tão desconhecidos quanto os perpetradores, a sociedade inteira ficou à espera do deciframento. Surtia efeito a fascinação do signo.

Porém, a segunda razão eclipsou a primeira, como o presente eclipsa o passado, sobretudo se é um presente assustador e urgente, em que cada minuto conta. O suposto cadáver não era um cadáver. A mulher estava viva, sobrevivera milagrosamente aos tiros, que, apesar de não serem de um calibre muito potente, tinham penetrado profundamente, os cinco, na cavidade craniana. O fio da vida resistira sem ser cortado nos três dias que passou no porta-malas do carro abandonado nos bosques de Ezeiza, antes de ser descoberta por uns ciclistas. Internada com urgência na melhor clínica da capital, operada por eminentes cirurgiões, evoluiu favoravelmente e na mídia não se falou de outra coisa durante semanas. Os jornalistas recebiam dois informes médicos diários. No exterior, por causa da diferença de fuso horário, se difundia um informe a cada meia hora. As balas foram extraídas uma a uma em minuciosas operações. Mas ao tirar a quarta, os sintomas indicaram que o coração não resistiria à quinta e última extração: impunha-se um transplante do órgão. Naquela época, os avanços da cirurgia tinham tornado praticáveis, e bastante seguros, os transplantes cardíacos; já eram uma rotina, ou teriam sido, caso os doadores não fossem tão escassos; por esta última razão, a lista de espera de pacientes em emergência nacional era longa. Se a mulher fosse colocada no fim da lista, teria que esperar meses e seu estado não admitia mais demora do que aquela medida em horas. Nessas listas, é claro, ninguém cedia seu lugar voluntariamente. A opinião pública pedia que se abrisse uma exceção e que fosse feito o transplante com o primeiro coração que aparecesse. Tratando-se de um fenômeno midiático, não havia outro motivo para privilegiá-la a não ser a satisfação de uma curiosidade mórbida, mas foram procuradas e encontradas razões, por exemplo, que a sobrevivência da paciente era essencial para esclarecer o mistério; com sua declaração seria possível desbaratar a perigosa gangue mafiosa, que ameaçava a segurança da população. O argumento era artificioso ao último grau. Objetou-se, com razão, que essa gangue mafiosa não era até o momento mais que uma hipótese, baseada apenas no formato dos disparos. E não era tão certo que as máfias fossem ameaçadoras para os cidadãos decentes e honestos que não se metiam em negócios escusos. Os mafiosos matavam-se entre eles. Caso se tratasse de um acerto de contas, será que isso significava que a mulher tinha contas pendentes, e agora, para salvar uma provável delinquente, se condenaria à morte quem esperava com angústia um coração, incluindo crianças, adolescentes, mães jovens, muitas delas já em coma induzido, com os dias contados caso suas operações não se realizassem? Os familiares tomaram as ruas em manifestações, causaram caos no trânsito, cercaram a clínica numa demonstração de repúdio. Mas a mulher foi transplantada, na calada da noite. E dias depois, com o seu novo coração batendo saudável, foi extraída a quinta bala, que estava alojada justamente atrás da ponte cartilaginosa das fossas nasais.

A partir de então os informes médicos se espaçaram, a paciente entrou numa etapa de recuperação prolongada e quando, afinal, o juiz a interrogou, o caso já estava quase esquecido; os jornais dedicaram espaço apenas à sua declaração, que para o resto foi um completo anticlímax: não sabia de nada. Não podiam obrigá-la a saber. Além disso, era sincera ou, ao menos, o juiz acreditou nisso. A conclusão foi que se tratara de um erro, um caso de vítima errada. Longe de pôr um ponto-final, a conclusão renovou a controvérsia. Uma ampla maioria do público duvidou da versão. Existia o arraigado preconceito de que os mafiosos nunca se enganavam. Mas isso implicava uma pressuposição, já que nenhuma prova fiel confirmara a existência de uma máfia. E, além do mais, essa ideia arraigava-se em outra, mais profunda e antiga: todo mundo, no fundo, era culpado. Para além dos preconceitos, as especulações continuavam; dando por certa a teoria da confusão de identidade, cabia perguntar a que esta se devera. Talvez a uma extraordinária semelhança entre essa mulher, uma inocente dona de casa alheia ao mais remoto contato com o mundo do crime organizado, e a que eles queriam matar. Nesse caso, quem era esta última? Podia ser qualquer uma, não necessariamente uma compatriota. A globalização dos negócios sujos, a facilidade com que se viajava no mundo contemporâneo, a extrema prudência que deviam adotar aqueles marcados por uma sentença mafiosa, tornava muito provável que a verdadeira mulher marcada fosse uma habitante do mais distante país ou continente, até dos antípodas. Não só era provável como necessário: tão implacáveis eram esses assassinos que os sentenciados deviam se esconder o mais longe possível. Ainda que aí coubesse uma correção: deviam se esconder o melhor possível, o que não significava necessariamente longe; talvez uma forma melhor de fazê-lo fosse não se esconder, fazendo como a "carta roubada"; ali não iriam procurar. Mesmo que isso fosse excessivo, e perigoso, como sempre que alguém banca o esperto.

Os familiares de pacientes em lista de espera, que tinham ficado com sangue nos olhos, voltaram às ruas para protestar em retrospecto, erguendo cartazes com fotos de seus entes queridos sacrificados à frivolidade de uma opinião pública obnubilada pelo sensacionalismo televisivo.

Mas este por sua vez não se rendia. Sempre batendo o pé na teoria da "vítima errada", não seria possível esclarecer o mistério com a declaração da mulher, reconheciam isso, mas sua utilidade não deixava de existir; pois se os criminosos tinham se confundido, só podia ser pela semelhança, e então ela seria a pista que conduziria à que teria sido a verdadeira vítima, e encontrando-a o mistério se revelaria.

Dito isso, a semelhança aparece no rosto, e depois de receber nada menos que cinco balas nele, e de passar pelas posteriores cirurgias de reconstrução, era difícil acreditar que a fisionomia não tivesse se alterado. Quando a mulher saiu da clínica e voltou a interagir com seus conhecidos e parentes, as opiniões a respeito ficaram divididas. Havia quem dissesse que continuava sendo a mesma e não mudara nem um pouco, outros opinavam que estava irreconhecível, e havia um terceiro partido, de postura intermediária, para o qual estava igual e diferente ao mesmo tempo. Sendo a questão das semelhanças algo tão subjetivo, não houve maneira de acabar com a questão.

Em certo sentido, o episódio marcou o fim da vida profissional ativa da mãe de Enrique. Ainda era jovem, pouco mais de cinquenta anos, mas começara a trabalhar muito cedo e, curiosa coincidência, essa iniciação prematura tivera lugar por uma confusão de personalidade.

Daquela vez a confusão não se deveu à semelhança física, mas ao nome. Sua família era proprietária de uma grande instituição sanitária, que em função de turvas manipulações financeiras recebeu a visita da polícia judiciária, e toda a diretoria foi presa, inclusive sua presidente, uma venerável octogenária com as capacidades mentais diminuídas pelo mal de Alzheimer, que seguira no cargo apenas pelo respeito de filhas e genros, e porque sua condição viabilizava as manobras antes mencionadas. Como se tratava de uma dessas famílias tradicionais em que de geração em geração se repetiam os mesmos nomes de família, o da mãe de Enrique, então quase uma menina, coincidia com o da anciã, sua bisavó. Do cárcere seus tios lhe ordenaram, por meio dos advogados, que assumisse a presidência vacante, aproveitando a homonímia. Ninguém descobriria a mudança de pessoa porque ninguém da diretoria tinha permanecido na função: quem não estava preso viajara ao exterior; e ninguém dos cargos imediatamente inferiores da instituição conhecia os diretores (que se comunicavam com eles por meio de circulares datilografadas); tal política de níveis estanques tinha sido adotada anos antes para levar a cabo o esvaziamento financeiro.

A jovem obedeceu; tinha apenas catorze anos. Durante os quarenta seguintes dirigiu a instituição. O resto da família exilou-se em massa, sob pretexto de honra ferida, mas na realidade para gozar, longe dos olhares curiosos, das fortunas roubadas. Curiosamente, apesar do sistemático desvio de fundos sofrido, a instituição sanitária continuou funcionando sem inconvenientes, graças à índole das operações realizadas.

Muito mais intrigante, para os poucos que souberam do processo, foi como uma jovenzinha sem experiência, com limitadíssimos conhecimentos, pôde levar adiante, sozinha e sem ajuda, a administração, direção e logística cotidiana de uma empresa de semelhante magnitude. Tinha sob suas ordens quase quatro mil empregados, trabalhando numa instalação de processamento de cento e vinte hectares cobertos (a maior da América do Sul) e duzentos postos de atendimento em todo o país.

No entanto, não havia nenhum mistério, muito pelo contrário. A jovem, precisamente por ignorar os mecanismos que faziam uma empresa funcionar, limitou-se a seguir as regras. Fazia isso às cegas, sem pretensão de compreender do que se tratava. A cada passo que devia dar, consultava o Manual, na entrada correspondente, e seguia as instruções. Nunca permitiu a menor intromissão do seu pensamento: agia no automático. Não lhe custava muito trabalho, nenhum na realidade: seguia sua inclinação natural, que não a levava a exercitar sua inteligência. Mas não era nada tola; na maturidade, anos depois de abandonar a atividade profissional, revelou o quanto valia o seu cérebro. Naquele momento estava pagando as consequências de uma infância de menina rica e desassistida, criada num meio frívolo, sem os estímulos adequados.

O trabalho, automático como era, sonâmbulo, absorveu-a e tornou-a solitária. Sua vida sexual começou tarde, mas foi então ruidosa e caótica como se falasse uma língua estrangeira. Com a mesma rapidez com que começara terminou, e então, já à beira da velhice, sua vida se tornou normal. Nesses poucos anos de atividade hormonal casara-se com um homem e tivera um filho (Enrique) com outro, e se divorciara, nesta ordem.

A normalidade também não durou muito: interrompeu-a o brutal atentado que a tornou famosa por um momento, depois do qual teve de iniciar a construção de uma nova normalidade. Suas amigas diziam que apesar de tudo tinha sorte, já que vivera várias vidas diferentes: a de menina rica ignorante da vida, a de mulher de negócios dedicada e eficaz, a de amante tumultuosa, a de mulher normal "um", a de famosa vítima da máfia e a de mulher normal "dois". E essa série de vidas era desconexa, inesperada, intempestiva. Achavam emocionante. Elas, diziam, tinham tido uma única vida, e ainda bem! Ou melhor, acreditavam não ter tido vida nenhuma. Ela recusava vigorosamente esses elogios duvidosos. Dizia que essa suposta multiplicidade significava que não tivera uma vida de verdade (que é única por definição).

Mas preferia não ter de se explicar muito; nem teria podido fazê-lo, porque tudo o que tinha a ver com a sucessão de etapas da sua vida se cobria com um manto de irrealidade que lhe obscurecia a mente. Culpava por essa obnubilação, não sabia por quê, um episódio dos seus anos de mãe jovem. Um fato sem importância, ligeiramente absurdo, mas não tanto a ponto de tornar-se traumático. Sabia, por suas leituras de artigos de divulgação de psicologia em revistas femininas, que essa sensação de irrealidade costumava ser produzida pelo parto. Talvez, se dizia, ela o tivesse recalcado.

O fato em questão aconteceu num Natal, quando Enrique era pequeno. Ela saíra para comprar uma arvorezinha, pois a que tinham pegara fogo no ano anterior. Não sabia bem o que queria, de modo que foi a um estabelecimento comercial na avenida Santa Fe, que vira no dia anterior, onde teria muito para escolher: era uma loja bem grande, com presentes na parte da frente e, no fundo, uma inesgotável variedade de arvorezinhas de plástico de todas as formas, cores e tamanhos. Mas quando foi até lá acabou a luz, acidente bastante habitual na grande cidade quando os calores do verão obrigavam a aumentar o uso dos ares-condicionados e punham à prova a capacidade de provisão da corrente elétrica. O comércio continuava funcionando. A luz da rua que entrava pelos vidros permitia ver as gôndolas de presentes, mas no fundo se adensava a escuridão, ainda mais enquanto agia o contraste com a crua luz branca de um meio-dia de 24 de dezembro em Buenos Aires, e a consequente contração das pupilas. Perguntou e lhe informaram que podia escolher o artigo que desejasse. Longe de criar problemas, os vendedores estavam muito contentes, pois o não funcionamento das registradoras autorizadas pelo ente fiscal dava a desculpa para venderem sem recibo e assim evitavam o pagamento do IVA; o acidente caía como um presente do céu, justo no dia e na hora em que as vendas chegavam ao seu clímax. A senhora vacilou, mas soube que não havia mais remédio: era culpa sua. Tendo deixado a compra para o último momento, agora tinha que encarar as sombras. Adentrou rumo ao fundo. Fez um breve trajeto entre pininhos azuis de vinil em que a escuridão se adensava progressivamente, com pinceladas de um cinza de prata subterrânea... e depois a treva total.

Esticou os braços. Suas mãos introduziram-se entre espetos macios e quando tentou agarrar alguma coisa se fecharam sobre galhos que subiam e desciam com um mecanismo sussurrante. Pouco a pouco começou a se orientar na selva artificial e a reconhecer com a ponta dos dedos as diferentes variedades, alturas e folhagens dos pinheiros e abetos sintéticos. Assim deviam comprar as suas arvorezinhas de Natal os cegos, pensava. Persistiu na busca, apesar da vaga angústia, porque intuía que ela teria seu prêmio. Afinal se decidiu por uma, mas quando a retirou eram duas. A mesma coisa com outra, que apesar de parecer ter a medida e a textura de que gostava, estava com a ponta para baixo. O tato a enganava? Ou existiam arvorezinhas em forma de cone invertido, com a base em cima? Pensou que talvez, por falta de espaço no chão e nas mesas, algumas delas teriam sido penduradas no teto pela base. Isso explicaria as estrelas de nácar ocas que lhe acariciavam a testa e não pousavam em nada, como as estrelas de verdade.

Que contraditório, pensou à noite ao ver a arvorezinha já na sala da sua casa, que agora fulgurava com luzes de todas as cores que ligavam e desligavam em alegres pestanejares alternados. Ela a tinha arrancado das sombras. Não se arrependia da compra, porque tinha sido uma experiência rara e memorável, das que criam uma lembrança muito precisa. Talvez, dizia a si mesma, fosse aquela a única maneira de enriquecer sua vida.

Tampouco teve por que se arrepender do que comprara, porque era uma arvorezinha muito bonita e resistente que durou muitos Natais sem que as dobradiças dos galhos estragassem ou as agulhas se descolorissem. Mas alguma coisa estranha deve ter conservado da sua origem, pois, ainda que ela nunca tenha contado a ninguém como a comprara, todos os que visitavam a sua casa no Natal ficavam observando-a intrigados, e não foram poucos que fizeram um comentário do tipo "os objetos têm alma".

Ainda que quisesse recapitular sua vida passada, a lembrança que sempre lhe vinha era essa, e somente essa, mas supunha com razão que sua memória devia conter muitas outras lembranças. Deve ter escolhido essa por economia, para que se tornasse representante de todas as demais. Mas a escolha não fora feita ao acaso: essa lembrança certamente tinha alguma coisa de especial; e todas as demais também tinham... Se esse era o sentido da vida, era muito misterioso, já que o significado de um episódio nunca coincidia totalmente com o de outro.

O episódio da máfia, com toda a sua truculência, não deixou um rastro mnemônico tão marcado como a compra às cegas da arvorezinha de Natal. Mas esse episódio também não conseguiu impedir o processo de reconstrução da normalidade, que teve sua coroação no encontro, na calçada do Gallego, com o filho imóvel e encharcado, tão comovente em sua surpresa e seu medo adolescente do ridículo. Esse aspecto sob o qual se apresentou a fez ver, paradoxalmente, que Enrique já era adulto, já tinha a própria vida, e a ela só restava desfrutar dos anos por vir.

Era uma mulher forte, disso não havia dúvidas. Superara todas as provas. A instituição sanitária fora fechada e desmantelada anos antes. Os novos métodos de diagnóstico tornaram obsoletos seus equipamentos e produtos, que no entanto eram reconhecidos como pioneiros no campo dos tratamentos não invasivos. A senhora liquidou as instalações, indenizou devidamente a equipe e vendeu os valiosos terrenos ocupados pelas oficinas. Retirou-se para um elegante apartamento na Avenida del Libertador, a uma vida organizada, de leituras, pilates, filmes, saídas com amigas e cultivo do jardim na sua chácara ao norte. Rompera radicalmente com o trabalho realizado durante tantos anos; não lhe custou muito, ou não lhe custou nada, por se tratar de um trabalho que caíra nas suas mãos por um acaso familiar-policial, feito com cuidado, mas sem vocação e interesse profundo. Do capital que lhe coube depois da liquidação cuidava um contador de confiança, que lhe prestava contas duas vezes por ano (dezembro e abril).

Não tinha guardado documentação da instituição sanitária; os papéis, exceto os registros conservados pelas agências fiscais, secretarias, ministérios e câmaras profissionais, tinham sido destruídos. Também não guardou lembranças pessoais do seu escritório; nem sequer lhe ocorrera fazê-lo. Não teria pensado nessa possibilidade, a não ser que lhe perguntassem. Fizeram-no os ex-empregados da instituição sanitária, que começaram a visitá-la um ano ou dois depois do fechamento. O primeiro telefonema a surpreendeu. Com a inércia que caracterizava seu modus operandi, mantivera o isolamento da cúpula diretorial (só ela) que seus tios empregaram antes dela. De forma que teve pouco contato com seus subordinados. Mas no curso de tantos anos foi impossível não conhecer alguns executivos e gerentes e trocar cumprimentos e até perguntas pela família. Era uma mulher naturalmente cortês, de trato fino, e a maneira escrupulosa e correta com que sempre tratou a equipe bastara para obter uma duradoura consideração. De forma que era plausível que lhe manifestassem o desejo de cumprimentá-la, voltar a vê-la, conversar sobre os velhos tempos. Com a maior cortesia, o sr. Gutiérrez, um empregado histórico do setor administrativo da instituição sanitária, que foi quem ligou para ela, assegurou que não tinham intenção de perturbá-la ou lhe fazer perder tempo. Ocorria simplesmente que vários empregados antigos da empresa, agora todos convenientemente aposentados, tinham começado a se reunir de tempos em tempos, prolongando a amizade nascida nos escritórios e, tanto desfrutavam de suas conversas e felizes rememorações, que tinham pensado em convidá-la para participar de uma dessas reuniões. Com uma gentileza que a lisonjeou, acrescentou que ela sempre estava presente nas suas lembranças, como estivera na vida ativa de todos eles, distante, discreta, mas tão mais querida por isso. De sua parte, a senhora não tinha memórias dos anos na instituição para compartilhar e desfrutar, e no pouco tempo que passara desde o fechamento já haviam se apagado rostos e nomes desses empregados que pareciam se lembrar dela com tanto afeto. Mais para agradá-los do que porque o desejasse realmente, aceitou vê-los; convidou-os a sua casa, quando soube que eram apenas cinco. A reunião desenrolou-se num clima agradável. Ela lhes dissera que fossem com suas esposas, mas apareceram os cinco sozinhos: com humor, explicaram que era um "clube de homens", e no curso da conversa ampliaram o assunto. A instituição sanitária, empresa à moda antiga e muito conservadora, não tinha incorporado mulheres nas instalações administrativas; quando outras empresas começaram a incluí-las, já era a etapa em que a senhora estava no comando, e sua longa gestão se caracterizou por um completo imobilismo; este último, se apressaram a esclarecer, não embutia uma crítica, pelo contrário: tinha sido o que dera à instituição esse ar de reino encantado, de mundo à parte, que agora alimentava suas melhores lembranças. Sim, tinham sido todos homens e, no centro do labirinto, no inacessível *sancta sanctorum* da presidência, essa menina, que depois se tornara uma mulher ("bonita", acrescentaram com galanteio), mas que nunca perdera sua aura de mistério, como uma divindade protetora em que podiam confiar. E se essa comparação mística soava um pouco exagerada, para eles não soara assim, tão precisas e oportunas eram as diretivas emanadas dela. Como se soubesse desde sempre, por meios sobrenaturais, o que era preciso fazer, e quando, e como, a cada vez, sem nunca errar.

Esses elogios, que ela aceitava com um sorriso ligeiramente aborrecido, já apontavam para o objetivo oculto que os movia. Esse objetivo veio à tona pouco a pouco, em sucessivos encontros — porque deram um jeito, com diferentes desculpas, de que as reuniões se repetissem. Agiram com muita discrição, com sutis aproximações, com uma prudência que revelava, atentos a qualquer sinal, quanta importância davam ao assunto.

O que procuravam era o Manual que a senhora utilizara no seu trabalho. Já foi dito que ela, ao se encarregar da direção da instituição sanitária aos catorze anos, sem nenhuma preparação prévia ou algum conhecimento de procedimentos administrativos, limitara-se a consultar o Manual quando precisava, e a seguir as instruções. Fizera isso em todas as ocasiões, para cada atividade que devia realizar, grande ou pequena, importante ou insignificante, desde preencher um recibo até licitar a compra de insumos com fornecedores asiáticos. Não precisara de outra capacidade além da leitura e da escrita, pois as instruções do Manual eram muito detalhadas e passo a passo. E confiara plenamente no que lia nas suas páginas, no começo com a confiança ingênua da infância, depois por hábito, e porque a experiência provara que era confiável. O resultado foi que depois de décadas presidindo com sucesso uma grande organização, saiu sem saber a mecânica dos negócios nem um pouquinho mais do que ao entrar; a outra face desse mesmo resultado foi que nunca se equivocou em nenhuma decisão.

Ela não tinha divulgado a existência do Manual. Não por querer ocultar alguma coisa, mas porque, na sua ignorância, concluíra que todos os executivos ou empresários dispunham de um Manual semelhante, e que era assim que se trabalhava. A intriga foi dos outros, e expôs toda a equipe da instituição sanitária desde o primeiro momento até o último. Como uma jovenzinha que nem sequer tinha ensino médio se virava para que no dia seguinte em que sentara na poltrona da presidência, sem pedir ajuda ou conselho de ninguém, começasse a emitir as diretivas mais acertadas? E como continuara fazendo isso infalivelmente durante toda a carreira? Ninguém se atreveu a perguntar; depois se arrependeram de não tê-lo feito, porque ela teria respondido com total candura. De forma que a existência do Manual foi deduzida, e elaborada imaginativamente, ao longo de tanto tempo, que ganhou proporções de mito. Os cinco ex-empregados, depois de muitos subterfúgios, tinham se proposto a recuperá-lo.

A desculpa esfarrapada contada era que se reuniam para lembrar de anedotas dos anos de trabalho e renovar a camaradagem do escritório: na realidade o que os tinha unido fora o desejo de conseguir o Manual, e suas conversas não tinham nada de nostálgico, mas apontavam às estratégias conducentes ao objetivo. Tinham se convencido quase desde o início que a senhora era o único caminho, tão único que as precauções para não fechá-lo deviam ser extremas, pois não havia outro. E, ao mesmo tempo, não podiam demorar muito, pois temiam não serem os únicos atrás desse apreciado Graal. Nisso se enganaram, mas era compreensível que o fizessem. Na sua mente (na mente coletiva que os levara a desenvolver a conspiração), o Manual ganhara o verniz de um objeto mágico, que daria poderes sobrenaturais ao seu dono. Tinham deduzido que era um livro, e o livro, em geral, como chave primeira e última da civilização, era um objeto propício para ser investido dessas características. Toda a cultura ocidental fora edificada sobre a crença nos poderes mágicos do livro. Não pensaram que no fim das contas a magia que o Manual podia carregar era a mais anódina, a de solucionar problemas burocráticos, e que a magia não passava de uma eficácia que não devia chamar a atenção de ninguém. Confiavam numa intuição que lhes assegurava que o Manual do Trabalho de Escritório se estenderia, por virtude da própria essência, ao Manual geral, ou lhes daria a pista para chegar a ele.

Quando, enfim, depois dos mais enroscados rodeios, chegaram ao tema, a senhora assentiu distraída: sim, lembrava do Manual, fora-lhe muito útil. Eles prenderam a respiração. O que houve com ele? Deu de ombros. Não sabia. Quando deixou de precisar dele, imediatamente depois do último trâmite da liquidação, esqueceu-o. A liquidação da instituição sanitária tinha sido feita também seguindo as instruções do Manual? Assentiu, surpresa com a pergunta: como teria feito de outro modo? Ela não soubera na época, e continuava sem saber, o que era uma liquidação e como era feita — e muito menos a de uma organização tão enorme e complexa. Os cinco ex-empregados tinham calafrios ao ouvi-la. Sentiam que afinal estavam tocando no mistério com a ponta dos dedos.

Na ponta dos pés, como caçadores tratando de não espantar o mais tímido dos cervos, avançaram no interrogatório. Ela lembrava que quando entrara pela primeira vez, pressionada pelos tios, nos escritórios da presidência, encontrara-os vazios de gente e bagunçados, com caixas abertas e papéis pelo chão, produto da desocupação urgente e da destruição de provas. Num canto ao fundo havia uma estante com livros, não muitos, pareciam enciclopédias e catálogos... Acreditava, estava quase certa, que o Manual estivera ali, mas separado, ela o localizou no primeiro dia, na primeira hora, e nem viu os demais livros. Sim, tinha-o levado consigo ao seu escritório, porque o consultava o tempo todo, mas à tarde quando ia embora o devolvia a uma dessas estantes. De maneira que supunha que no último dia, na última hora, devolvera-o àquele lugar. Não lembrava bem, mas era o mais provável. E a partir de então, repetia-lhes, nunca mais voltara a pensar no Manual, até que eles lembraram.

Teve certeza de que não ia precisar dele de novo? Pelo visto, sim.

Então... Tudo o que podia supor do destino posterior do Manual era que teria ido junto com o resto desses livros, e esses com os móveis, na venda que foi feita... Não, dessa venda não podia dar dados precisos. Nem sequer tinha certeza de que tivesse sido uma venda. Ela deixou de se preocupar no momento em que os terrenos da instalação central foram vendidos; os prédios, seculares e pouco funcionais, só tinham o valor da demolição (no lugar foram construídos conjuntos habitacionais, um centro comercial, e os desaguadouros da Lagoa Cochina). O mais provável era que os poucos móveis utilizáveis dos escritórios tivessem ido parar num bazar.

E os livros? Alguém teria chamado um dono de sebo? Achava que não. Calculava que não eram tantos, uns vinte ou trinta, mas é verdade, com boas encadernações; do conteúdo não podia lhes dizer nada porque nunca os abrira.

E o Manual? Qual era o seu aspecto?

Bom, o Manual não era encadernado. A capa era mole, mas devia estar plastificada ou tratada com alguma substância que lhe dava resistência, muita resistência, a julgar pelo fato de que com tantos anos de uso constante se mantivera incólume. Da cor da capa e do seu desenho não podia dizer nada: o plastificado, ou o que fosse, a tornara opaca. Então um detalhe que lhes contou os assombrou ao extremo: não era muito grosso.

Perguntaram pelo título e o autor. Em vão. Na capa não era possível ler nada, por causa da substância que a recobrira; esses dados figurariam na página de rosto, certamente, mas ela nunca a olhara, sempre fora diretamente ao que precisava consultar... A essa altura a senhora deve ter advertido que estava colaborando pouco com o que parecia importar tanto a eles e se desculpou dizendo que quando um objeto é tão útil, quando alguém precisa tanto dele e com fins tão específicos, é compreensível que não se detenha a observar suas características físicas, observação que exige um distanciamento desinteressado, que ela nunca teve a respeito do Manual.

No que diz respeito a como era organizado, como eram procurados os assuntos, se tinha índices, diagramas, uma ordem alfabética, ou se era uma espécie de cartilha progressiva, as respostas foram vagas, sem vontade, e se aproximavam perigosamente do cansaço ou da irritação. Não insistiram na primeira vez, e nas seguintes, quando tentaram outras abordagens, por exemplo a de sugerir um caso particular e ver como o procurara, não tiveram mais sorte. Acabaram se convencendo de que realmente não lembrava.

Sim, pôde afirmar com certeza que era um livro impresso. O que os fez descartar a suspeita, que os preocupara, de que se tratasse de um manuscrito, ou de uma caderneta datilografada, o que tornaria sua perda irremediável. Um livro impresso, por raríssimo que fosse, sempre tinha mais de um exemplar... Mas isso não era grande consolo, quando lembravam das histórias de bibliófilos que demoravam para encontrar um livro raro mesmo dispondo da descrição e dos dados de publicação; eles, de sua parte, procuravam um fantasma.

Tudo isso, as perguntas, as respostas, as digressões (longas e abundantes, necessárias para não parecerem obcecados e assustá-la ou irritá-la), cada palavra que ela pronunciava, inclusive os gestos e a entonação, foram analisados nas reuniões posteriores dos cinco ex-empregados. O mesmo com a casa, a elegante sala em que os recebia, a copa anexa, a que assomavam às vezes para admirar os quadros, o corredor que levava ao banheiro, o qual o estado de suas respectivas próstatas autorizava a visitar com frequência, do qual lançavam discretos olhares para outros ambientes. Não tinham descartado de início que o Manual se encontrasse ali. Descartaram-no pouco depois, com todas as outras suspeitas. Convenceram-se de que era sincera. Não era como se tivessem caído nas redes de uma feiticeira sedutora. A confrontação de suas observações, nas longas sessões de análise, não lhes deixava dúvidas.

Por mais que tivessem falado e pensado a respeito, não viam nisso nem pés nem cabeça. Embora precisassem reconhecer que era a estranheza quase impossível do caso o que os atraíra, não era menos verdade que o impossível persistia e não fazia mais do que se aprofundar. Como era possível que um livro desse todas as respostas? Só isso já roçava o inexplicável, mesmo quando a totalidade era apenas a da administração de uma empresa; mas essa não era uma totalidade tão restrita, porque a administração de uma empresa implica questões da mais diversa índole para além das estritamente econômicas ou contábeis. Mais inexplicável que tivesse provido todas as respostas era que o tivesse feito ao longo de quatro décadas, como se o tempo não trouxesse mudanças; e tinham sido anos de intensas mudanças, entre as décadas de 60 e 90, na Argentina e no mundo. No começo desse período as condições em que se trabalharia no final dele eram inimagináveis.

Então, se era preciso descartar que as respostas estivessem previstas literalmente, era preciso pensar em outras possibilidades, e a única que lhes ocorria era que se tratasse de uma espécie de combinatória. Tentaram imaginá-la. De saída, isso explicaria o volume, que a senhora dissera ser modesto. A combinatória era o modo mais eficaz de comprimir volumes. Bastava pensar que um conjunto de dez elementos podia se organizar em milhares de séries diferentes. Num livro não muito volumoso podiam entrar unidades suficientes para formar uma quantidade virtualmente infinita de combinações.

Pois bem, para manipular um sistema com essas características era preciso dispor de uma chave. E não podiam conceber que essa amável senhora tivesse conhecimento de chave alguma, nem agora e muito menos quando se encarregou da instituição sanitária. Naquele momento inicial, como indicava tudo o que averiguaram, bastara-lhe abrir o Manual para começar a "lê-lo". Isso só podia significar que a chave era uma coisa natural, já posta de antemão no cérebro. E se a chave era realmente eficaz, servia para decodificar qualquer livro, não necessariamente um de instruções. Perplexos, muito mais perplexos que ao começar, chegaram à conclusão de que todos os livros eram o Manual, e todos os homens tinham a chave para encontrar nos livros as instruções infalíveis para agir e triunfar.

ENRIQUE CONTINUAVA IMÓVEL, escorrendo água cristalina e fria. O acidente fixara diante de nós a sua figura esbelta, como se um raio mágico, um raio líquido lustral, tivesse detido, em meio ao fluxo desenfreado de histórias, a história sem história da juventude de Palermo Soho.

Aproveitemos esta detenção para traçar, em grandes linhas, a paisagem da hora e do lugar. Depois de longas décadas de pobreza, estagnação e decadência, a Argentina tinha entrado num ciclo de prosperidade. A economia deixara de ser um problema; ninguém mais pensava em como pagar as contas; pagavam-se sozinhas, por débito automático. O dinheiro, um bem proverbialmente escasso, abundava e até sobrava, o que surpreendera a todos e aturdira a muitos. Dado que todos os beneficiados vinham de uma posição já desafogada (porque os pobres, é claro, continuavam sendo pobres), a conjuntura era vivida em termos de "extra". A criação de necessidades supérfluas, a distribuição e venda delas, ocupava uma boa quantidade de gente que não precisava trabalhar, produzindo-lhes excelentes lucros. Estes, por sua vez, eram vertidos de imediato para um mercado consumidor desinteressado. Os anos de ressentimento do país atrasado e provinciano diante de um Primeiro Mundo triunfante eram deixados para trás com desenvoltura. Vozes de advertência alçavam-se daqui e dali, apontando que os dois superávits, o comercial e o financeiro, eram bolhas que só se sustentavam no ar por causa do preço das commodities; quando ele caísse, a bolha estouraria de repente. Ninguém os escutava e pela primeira vez foi preciso dar razão aos surdos. O auge econômico da China estava apenas começando e nada indicava que fosse decair em pelo menos um século. E a partir daí, do imensurável e gigantesco trazido pelo colosso oriental, as perspectivas mudavam. Na verdade, calculava-se que quando a China alcançasse o seu pleno desenvolvimento, sua demanda de bens de consumo esgotaria a produção de três planetas do tamanho da Terra. Esse cálculo apontava para uma transmutação do Tempo em Espaço. Três planetas Terra, belos e azuis, flutuando no espaço, não mais uma bolha de ilusão econômica mas três, e sólidas, cheias de mares e bosques e montanhas e homens e bestas, dinossauros e rouxinóis... Qual seria o efeito da graciosa dança dessas três bolas sobre o equilíbrio gravitacional do Sistema Solar? Naquele momento a China, as Chinas, estariam cheias de lojas de design e bares-restaurantes, numa quantidade tal, e sobre uma extensão tão grande, que seria difícil encontrar o centro. Os jovens argentinos tinham encontrado antecipadamente esse centro, na pequena área de Buenos Aires chamada Palermo Soho. O centro desse centro, dito entre parênteses ou não, era o lugar onde Borges passara a infância e descobrira a literatura. Os jogos com o espaço-tempo que Borges empreendeu na sua obra eram subsidiários da sua arte de narrar; a presença dele pairava sobre o bairro em que eu viera me hospedar e bendizia o momento em que, por uma recomendação casual, me dirigira a ele. Antes do divórcio eu dera aulas sobre Borges em Providence, mas o lera somente em traduções; certamente muitos de seus segredos me escapavam.

Para mim o centro tinha sido o albergue do Enrique. Dele irradiava uma vida de imagens sempre novas, em permanente estado de formação. Por causa das minhas circunstâncias pessoais, resumidas no sentimento de impermanência posterior ao divórcio, tinha saído em busca de uma espécie de eternidade. Ignorava-o no momento da partida e da escolha do destino; soube-o por acaso no curso dos dias passados em Palermo, e terminei de entender naquela manhã. Fugira de um tempo que ameaçava fazer com que minha pequena filha crescesse longe de mim e se tornasse uma estranha. E a sorte quisera que fosse parar justamente ali, tão longe de Providence, no lugar do mundo em que se negava que o preço das commodities pudesse cair. Não é de se estranhar que o círculo encantado de Palermo tivesse limitado meus passeios. Eu não era tão pouco realista a ponto de ignorar que em outros bairros de Buenos Aires devia haver uma relação mais positiva com o tempo. Não os conheci.

Aqui cabe um esclarecimento, porque é difícil entender que a sucessão temporal fosse negada de tal modo exatamente ali, onde as modas andavam rápido, marcando a passagem das temporadas, dos meses, dos dias, com uma estridência sem igual. A fugacidade processava-se e exibia-se; formas, cores e funções corriam uma louca corrida de sacos. O bairro mesmo podia sair de moda a qualquer momento (o distante San Telmo ameaçava substituí-lo). E o comércio na sua grande maioria funcionava com base em aluguéis precários, de caducidade sempre iminente. Pode-se dizer que tudo estava sujeito ao tempo. E no entanto não era assim. O tempo era apenas a máscara com que a eternidade se vestia para seduzir a juventude.

A moda, por outro lado, era o único espiritualismo em que acreditavam os argentinos, povo supremamente agnóstico, laico, maçom, cético. Uma encantadora superstição do país era que os únicos mortos que voltavam ao chamado dos médiuns eram aqueles que em vida tinham cumprido uma função pública que lhes assegurava um lugar na História. E, dada a conformação socioeconômica da História argentina, eram indefectivelmente membros do patriciado *criollo*, uma aristocracia à inglesa, de cavaleiros elegantes, atentos ao tecido, ao corte e à roupa bem passada. Aí intervinha o humor piadista, suavemente vingativo, do povo que inventara a lenda: por mais que se invocasse esses dândis de antanho, eles só voltavam quando nas suas andanças de além-túmulo fazia-se um sete na calça ou caía uma mancha de molho na gola da sobrecasaca. Voltavam para reclamar uma vestimenta nova. O modo de fazê-las chegar ao Hades *gaucho* era comprá-la e dá-la a um pobre.

O mito de dom Desviado impregnava todas as transações comerciais de Palermo com sua poesia. Apesar de os pobres que circulavam entre nós, as crianças que pediam moedas entre as mesas, as mães amamentando seus filhos nos saguões, os catadores, não se virem mais bem vestidos por isso. Seus farrapos esburacados eram os convencionais.

Entre os mendigos pitorescos que tive a oportunidade de conhecer na minha breve estadia, havia um homem mais velho, não um ancião, ainda que devesse estar quase lá (era difícil calcular a idade dele), ao qual faltava uma perna, a esquerda. Estava cortada na metade da coxa ou um pouco mais perto da virilha. Alguém o colocava numa cadeira, numa esquina, ou entre as portas de dois restaurantes ou em qualquer outro lugar estratégico muito movimentado, e ali ficava todo o dia. Seu método consistia em se dirigir a alguém que passava, fazê-lo parar e se aproximar como se fosse lhe dizer uma coisa importante, e explicar-lhe que precisava de dinheiro, algo, qualquer coisa, mesmo que fosse apenas uma moeda, "para a perna"; não entrava em detalhes, mas qualquer um podia adivinhar que se referia a uma prótese de perna. E acrescentava, pondo a mão de lado a vinte centímetros do coto: "já juntei até aqui". Como se tivesse calculado o custo de uma perna mecânica, e do seu comprimento, e tivesse dividido o montante em centímetros. Mas não era sério. Um dia punha a mão a cinco centímetros do coto, outro muito mais longe, à altura de onde estaria o joelho, ou mais além. Isso poderia obedecer a uma estratégia: ao indicar que juntara dinheiro para pouca perna, poderia querer dizer que seu trabalho rendia pouco, que as pessoas eram egoístas, que a compaixão cristã não brilhava em Palermo... Em troca, ao afastar a mão significava que as pessoas tinham dado muito, que lhe faltava pouco para realizar seu sonho de caminhar. Podia escolher um argumento ou o outro a partir da cara do interpelado, pois evidentemente qualquer um dos seus dois discursos, "falta muito" e "falta pouco", podia ser eficaz com distintas personalidades. Observei-o durante horas e me convenci de que o fazia ao acaso, coisa de que eu não deveria ter duvidado, pois se tivesse uma estratégia bem pensada, teria também um discurso coerente e boa dicção, e não os balbucios de bêbado que não dava para entender. De resto, a não ser o mais desprevenido dos turistas, todos sabiam que não poupava um peso e que corria para gastar cada centavo em vinho barato.

A extensão espectral dessa perna participava de um regime de História que negava a negação. O dinheiro da prosperidade servira para criar o Presente e enchê-lo de objetos luxuosos e atividades voluptuosas; por ser o Presente, por definição, tão breve, era fácil preenchê-lo, e sobrava grana. De maneira que era possível suceder um Presente com outro, e a este com outro mais, num contínuo sem falhas, uma agenda sem buracos, a que os jovens chamavam de "desfrutar da vida".

Mas o tempo, expulso pela porta, tornava a entrar pela janela. A riqueza da Argentina era uma miragem, não só por sua dependência de uma coisa tão distante e irreal como a balança comercial da China, mas porque na realidade toda a riqueza a que a humanidade podia aspirar era a de sua própria história. E para ter uma história era preciso sair do contínuo da felicidade. Se alguém o tivesse contado, a juventude de Palermo Soho teria perguntado: como não ser felizes, ao menos por um momento? E há outra coisa além de um momento? A atmosfera em que se vivia tornava os resultados inconcebíveis. Seria preciso pensar num milagroso desajuste, um acidente envolvendo todos os átomos do universo, para que o Presente se quebrasse.

O consumo incessante de falsas histórias (histórias não interrompidas pela desgraça) enfraqueceu a percepção da realidade. Quando o universo rachou e pela fissura entrou a morte, ninguém percebeu. Essa situação persistiu até que eu retornei a Providence e, segundo a imprensa argentina, que consulto diariamente pela internet, persiste até hoje. Seria preciso ver (e o experimento seria muito difícil de ser feito) se alguém notaria caso a Argentina voltasse a ser pobre. Também é preciso levar em conta que essas coisas dependem da interpretação que se dá a elas.

Enrique fizera-me confidências, nas longas sobremesas que compartilhávamos quando todos os demais tinham ido dormir. Como todos os jovens da sua geração e do seu meio, tinha tirado proveito da permissividade sexual da época. Belo, rico, dotado de um sorriso feiticeiro e de uma inteligência aguda, não tinha perdido oportunidade de seduzir e conquistar. Essas aventuras eram marcadas de antemão pela fugacidade, que afinal era sua razão de ser. A aprendizagem do amor apresentava-se como uma empreitada de tal amplitude a ponto de ocupar felizmente toda a vida, entendendo "vida" como "juventude". As lições sucediam-se sem parar. Tudo era amor, mas o amor se identificava com a espera do amor.

Com o sexo, era preciso fazer um curioso ajuste mental. Quer dizer: não era preciso fazê-lo, já estava feito. No fundo do seu cérebro, Enrique sentia, sem nunca pôr em palavras, que uma jovem algum dia poderia dizer-lhe "não sou promíscua", ou "tenho namorado", ou algo parecido. Nunca tinham lhe dito e não havia perigo iminente de que o dissessem. Mas era uma coisa latente, como a existência de mundos paralelos. E essa latência contaminava o mundo em que vivia, tornando-o paralelo.

A expectativa do verdadeiro amor dava emoção e poesia aos encontros, e deu em especial ao de uma bela jovem que conhecera meses atrás, no começo da primavera. Mesmo sem ter nada especial, pareceu-lhe diferente, única, não sabia por quê. Era bela, mas havia muita beleza nas ruas; tampouco era tão excepcional seu encanto um tanto distante, nem a inteligência das suas réplicas. Sabia manter um véu de mistério sobre si mesma. Mesmo depois de vários encontros, que começavam sempre por um acaso na rua e se prolongavam numa mesa de café ou numa caminhada. Enrique continuava ignorando sua procedência, suas ocupações, e quase tudo dela. Intrigava-lhe não tê-la visto antes, porque nos círculos habituais de Palermo todo mundo se conhecia. De repente, de um dia para o outro, bastava-lhe sair à rua, dar umas voltas pela zona mais concorrida, os arredores da pracinha Serrano, para cruzar com ela. Teria se mudado para o bairro? Seria mais uma que descobria o atrativo das suas lojas e seus bares? Teria começado a trabalhar pelas proximidades? Isso era o menos provável, porque a cada vez que a encontrava, nas horas mais díspares do dia ou da noite, ela estava disponível para aceitar seu convite para sentar e tomar alguma coisa e deixar passar as horas na conversa.

O entorno prestava-se para prolongar essas ocasiões, porque, como Enrique ressaltava ao contar a história, acontecera no começo de uma primavera cálida, que fazia do ar livre algo tão acolhedor que ninguém queria se fechar em casa. Os terraços dos cafés estavam cheios desde a manhã. As árvores, cobertas de folhagem, a folhagem, de pássaros. O céu invariavelmente azul derramava luz benévola sobre as mesinhas onde a água mineral, com o correr das horas do dia, se transformava em cerveja, vinhos, champanhe e copos de uísque, cada bebida com sua cor, os dourados dos cereais, o âmbar ou o rubi das uvas, o verde fosforescente da menta ou o vermelho irisado das sangrias. O curso do sol regia a dança de equilibristas das sombras, lentas e caprichosas ao mesmo tempo, com um quê de imprevisível sempre, como se no firmamento, antes e depois do meio-dia, nascessem outros astros, declinando em elipses sinuosas. Brisas de frescores progressivos percorriam as ruas com passo majestoso, como servas egípcias a serviço dos ricos, ou dos que se sentiam ricos só por estarem em Palermo, vendo passar o tempo. As vitrines das lojas renovavam-se; pareciam quadros abstratos, com intrigantes sugestões figurativas; se no inverno tinham exibido a moda de primavera, ao chegar esta passavam ao verão. Não apenas emulavam o tempo, mas também competiam entre elas. As galerias de arte, as livrarias, as ubíquas casas de design celebravam a chegada da estação da beleza. Toda a vida comercial, social e cultural de Palermo desembocava nos cafés, e estes se esvaziavam para fora, para os terraços, as calçadas, onde as brisas prosseguiam seu desfile, e as aves cantavam. Não era a primeira primavera que Enrique vivia no bairro, mas esta ele percebeu com nova clareza, percepção a que não ficava alheia a bela jovem que o acompanhava. Acontece que ela apreciava o clima, o ambiente, como uma primeira vez, como uma aurora do mundo. Esse era o princípio ativo do seu encanto.

Viera com a primavera, com os primeiros calores, e parecia se confundir com as amenidades do clima. Seu olhar claro perdia-se, junto ao seu sorriso, entre as multidões cambiantes que enchiam esses dias felizes. Passaram os dias e Enrique se perguntava como era possível que, apesar de seus encontros frequentes, e as conversas que tinham se tornado quase uma necessidade, soubesse tão pouco dela. Não era porque ela se negasse a responder suas perguntas, mas porque ele não as fazia. Esquecia, se distraía, bastava-lhe desfrutar da sua presença, da sua beleza, da sua voz. Era misteriosa, mas sem se propor a isso. Paradoxalmente, dava uma sensação de transparência (todo mistério dá essa sensação). De noite era mais bela que de dia. Convidava-a para jantar nos seus restaurantes favoritos da área, e depois, passada a meia-noite, tomavam um copo em algum terraço sob as estrelas. Em vez de tentar descobrir alguma coisa concreta, nessas ocasiões ele fazia-lhe perguntas bobas, por exemplo: "do que você gosta mais, do Sol ou da Lua?", ao que ela respondia, equânime, que gostava dos dois astros por igual. Levou-a para conhecer seu albergue, contou-lhe a história do Clube da Evolução, a da sua mãe, a dos seus estudos interrompidos pelo incêndio. Nunca se sentira tão eloquente.

A primavera progrediu para o verão e a amizade poética para o amor. Chegou o dia em que Enrique teve de confessar que estava apaixonado. Não era a atração e o desejo que sentira antes por outras mulheres, mas algo especial. Na realidade era o de sempre, pois não tinha outros moldes psíquicos para entendê-lo, mas se acrescentava o Mistério. Teria se apaixonado por acaso pelo Mistério? Pelo Mistério que ele mesmo construíra, com suas reticências e fantasias. Se era assim, podia ser um sinal de megalomania, como acreditar ser um escolhido, o protagonista de uma história. O curso das histórias, pensava, deveria ter lhe ensinado humildade. Mas havia o fato de que não tivera tanto um "curso" como um "consumo" de histórias. De qualquer maneira, essas reflexões se interrompiam quando a via. O Mistério, pelo pouco que sabia dele, nunca poderia adotar uma forma tão semelhante à de uma bela jovem. Era sólida, e sempre imaginara o Mistério poroso. A pele dela, pálida, deliciosamente lisa, refletia a luz em faixas de tons lustrosos. Ele nunca tinha sequer tocado nela. Uma castidade quase de objetos presidia a relação, prometendo prazeres sensuais tanto maiores quanto mais houvesse crescido a promessa. Sobretudo os olhares, mais que as palavras, eram o veículo da paixão crescente. Os olhos dela tinham características de água, mas de uma água embriagante, sempre cobertos por um brilho de umidade. A partir de certo momento esses olhos começaram a transmitir uma mensagem que provinha diretamente do Mistério.

Esse momento foi o da declaração de amor que Enrique lhe fez. Ela não manifestou surpresa. Se não era de todo boba, deveria ter esperado por isso. Passaram uns dias. Ele respeitou seu silêncio, pensando que o Mistério estava agindo. No fim ela lhe disse que o sentimento era correspondido. Enrique se deixou levar à profundidade desse olhar em que acreditava encontrar respostas para as quais não havia perguntas. Isso aconteceu numa noite, bem tarde. Estavam caminhando pelas ruazinhas que demoravam para se esvaziar. Quando ela se despediu, numa esquina escura, se beijaram. Foi a primeira vez. Um beijo breve, em que as almas se comunicaram. Embora não devam ter se comunicado tanto, porque Enrique ficou perplexo por vários dias. Tanto foi assim que não se atreveu a voltar a beijá-la nos dias seguintes. Ela o tratava com uma ternura crescente. Era como se o Mistério tivesse se aproximado.

Mas a revelação do Mistério, quando aconteceu, foi um anticlímax, o nascimento das montanhas. A moça, depois de pensar muito, segundo lhe disse, tomara a decisão de lhe contar quem era e o que fazia ali. Decisão difícil e em certa medida dolorosa para ela, pois significava o fim de uma situação em que encontrara um sentimento que não havia acreditado que conheceria um dia. Mas a reflexão fizera-lhe ver que essa situação ambígua era insustentável; suspeitava que era a ambiguidade o que lhe dava suas características, mas mesmo assim era preciso esclarecer as coisas, botar as cartas na mesa, ou os pingos nos is, ou como fossem as expressões que usavam os humanos nesses casos...

Diante dessas últimas palavras, Enrique ficou claramente chocado. Por acaso ela não era humana?, perguntou.

Respondeu-lhe apenas com um sorriso que significava: pareço outra coisa?, um animal, um monstro, uma alegoria?

Ele não pôde outra coisa senão sorrir de volta. Era o mais humano que já tinha conhecido. De fato, suspeitava que daí em diante definiria o humano pensando nela e usando-a como medida. Somente quando se amava, disse, aparecia o humano do humano.

E no entanto...

Ela começou sua história explicando que havia poderes sobrenaturais benévolos (chamá-los deuses seria excessivo) que protegiam as pessoas de boa posição econômica nas suas diversões e entretenimentos. A economia geral do universo julgara necessária sua existência, já que os entes e divindades que se ocupavam da sobrevivência da espécie humana não tinham tempo nem vontade de se encarregar do que consideravam frivolidades desnecessárias. Eram frivolidades, por certo, mas não tão desnecessárias do ponto de vista dos interessados. Tratava-se de coisas como o funcionamento da calefação nas suítes dos andares superiores dos hotéis, ou que o tecido das camisas de seda não pinicasse a pele, ou que as bolhas do champanhe fossem pequeninas e velozes e não gordas e lentas. Com efeito, ao lado da prevenção de catástrofes como terremotos ou inundações, pestes e miséria, isso parecia pouca coisa. Poderia importar ao fado que impedia que um avião caísse, que o ângulo de reclinação dos assentos na classe executiva fosse o adequado? Reinava a impressão, entre os poderes benévolos, que atender ao pequeno distrairia do grande. Mas com o avanço da civilização ficou demonstrado que havia forças sobrenaturais suficientes para todos e para tudo. Assim foram aparecendo esses poderes especializados.

Um dos assuntos de que se ocupavam era de que não faltasse gelo para as bebidas em climas tórridos e em áreas onde havia consumo intensivo. O Boulevard Saint-Germain, a Piazza Navona, o East Village, entre outros, estavam na lista beneficiada; Palermo Soho tinha entrado nela nesses últimos anos. De forma que, quando se anunciavam os primeiros calores, enviavam-na para assegurar a provisão de gelo nos copos e taças de bebidas dos estabelecimentos do bairro. Sem ela, os cubinhos ou bolinhas não estariam realmente frios, nem se derreteriam com a devida parcimônia, nem soariam com seu ruído característico ao entrechocar-se. Enquanto ela estivesse ali, a ninguém faltaria gelo para refrescar a bebida e curtir um bom momento.

Como fazia isso? Não entrou em detalhes, por discrição, ou talvez para não assustá-lo com descrições macabras, mas deixou entrever que sua eficácia residia na transferência simbólica. Ela era o gelo, ou a essência superior e inesgotável do gelo. Se lhe haviam dado forma humana, era para que não chamasse a atenção. E não precisava rogar-lhe que mantivesse em silêncio o que acabava de ouvir, pois cometera uma infração ao lhe dizer. O segredo era natural a esse tipo de operações.

Enrique precisou de um longo momento para assimilar a informação. A primeira coisa que lhe ocorreu, depois de fazer uma recapitulação mental do caso, foi que isso condenava o seu amor a ser um amor de verão.

E isso não era o pior. Estavam condenados a manter distância, porque um abraço seria fatal para ela, que o lembrou disso e pediu que antes de chegar à etapa das efusões, pensasse nas propriedades do gelo.

Por acaso estava querendo lhe dizer, mediante esta fábula, que era... frígida?

Não, não era. Antes o contrário. Não tinha ouvido falar de queimaduras provocadas pelo gelo?

Enrique, por amor, estava disposto a enfrentar os gelos eternos e eternamente queimantes do Inferno.

Os do Paraíso não eram menos perigosos.

E assim foi que meu jovem amigo abraçou a sua amada e ela desapareceu nos seus braços tornando-se uma cascata de água. Eu fui testemunha privilegiada, e essa visão foi o ponto culminante da minha feliz e instrutiva estadia em Buenos Aires. Não houve um final feliz, mas as histórias raramente o têm. De fato, é raro que cheguem a ter um final, porque quem as conta se cansa no caminho, se aborrece, ou teme que zombem dele.

Além disso, como falar de fim, se o começo ainda estava em movimento? Tudo acontecera num abrir e fechar de olhos. O galego, sem perceber o acidente que causara, continuava dando voltas na manivela do toldo. Enrique, como o ator que é deixado no meio do palco quando a comédia termina, continuava gotejando, imóvel e aturdido pela surpresa. E continuava sustentando com uma mão, ao seu lado, a delgada máquina de cujos giros nasciam as histórias: a bicicleta, "a pequena fada de aço".

29 de março de 2008

POSFÁCIO

Uma *espécie* de introdução*

Senti certo receio ao aceitar esta tarefa: na verdade, penso que sou um pouco como Zelig, irrompendo mais uma vez no reino de César Aira — primeiro com um *blurb*, depois com uma resenha, e agora, escrevendo uma espécie de introdução, ainda que curta. Do ponto de vista pessoal, a vantagem é poder desfrutar deste privilégio único: uma tripla demonstração de minha admiração por um escritor que adoro e que merece isso. Ao contrário do maravilhoso título da obra (indicador de uma desvinculação profunda), nada

* Este texto foi publicado pela primeira vez como introdução à edição inglesa de *O divórcio* (Trad. de Chris Andrews. Sheffield: And Other Stories, 2021). A tradução dele para o português foi feita por Bruno Cobalchini Mattos. (N.E.)

me agrada mais que o privilégio especial de ter meu nome associado à mente cosmicamente profunda e sagaz de César Aira.

Conheci o escritor pela primeira vez há algum tempo, na Dinamarca, em um festival literário benevolentemente asséptico. Abordei-o em um corredor e falei de supetão que seu livro *Um episódio na vida do pintor viajante* era magistral, coisa que ele negou no ato. Foi uma declaração imperdoável da minha parte, que interrompera o seu caminho para destacar um único romance dentre o prolífico conjunto de sua obra, mas eu estava tão seduzida por aquele livro que não pude me conter.

Apenas depois de ler e resenhar *El cerebro musical: relatos reunidos* [Random House, 2016] entendi a modéstia dele quanto aos méritos do livro que eu tão fervorosamente exaltara. César Aira é dotado de uma mente caleidoscópica e muito flexível: é capaz de ver a equação e as provas ao mesmo tempo. Ele posiciona um cristal no lugar e toda uma estrutura se manifesta. Depois de ler os diversos contos de *El cerebro musical*, entendi que as características que tanto admirei em *Um episódio...* eram lugar-comum em seu processo: apenas o que ele sempre faz. Aira conduz o leitor — com um tapinha no ombro, ou agarrando-o pelo pescoço — a um pesadelo caudaloso, e o brilhantismo do pesadelo o torna irresistível.

O que me leva à origem da presente tarefa. Eram meados de abril, no ápice da pandemia em Nova York, eu estava sentada diante da escrivaninha, encarando as páginas em branco do meu diário, quando a campainha tocou. Eu pensava a respeito do vazio. Pensava sobre os milhões de devotos impossibilitados de peregrinar a Meca. Pensava em cidades-fantasma, catedrais vazias, óperas vazias, parquinhos vazios e os apartamentos vazios dos meus vizinhos que fugiram da covid.

Ajustei a máscara, abri a porta e ali, sobre o capacho, vi uma sacola de pano. Olhei em volta justo a tempo de receber um aceno de meu benfeitor mascarado, que se dirigia para o centro da cidade em uma bicicleta fora de moda. A sacola, que havia sido higienizada, continha diversos livros e uma prova de gráfica, fininha, de aparência inocente. Quando vi que era um novo livro de César, subi as escadas, deixei meu trabalho de lado e comecei a ler com tanto ímpeto que até esqueci de tirar a máscara. O cérebro musical engole os tons, pensei, ciente de que, com o novo livro de César em mãos, eu provavelmente negligenciaria meu trabalho.

Enquanto eu lia *O divórcio*, começou a nevar. Ali pela página sete, fui levada do vazio pandêmico a um mundo cheio até a borda, onde os cômodos transbordam de coisas, assim como as imagens dos cômodos no espelho, da mesma forma que os múltiplos reflexos, e os reflexos dos reflexos de projeções dos cômodos. Li enquanto a neve de abril continuava a cair. Li sem parar, iluminada pela aparição repentina do sol que dissolveu a inesperada camada de branco. Nem é preciso dizer que, ao ler as últimas palavras, eu derreti.

Não desejo estragar a experiência do leitor com uma tentativa de resumir o enredo, mas permitam-me oferecer algumas poucas frases selecionadas, joias espalhadas pelas seções que chamo de fogo, Clube da Evolução, Manual e gelo.

Fogo: "Havia sido um encontro e uma despedida de uma só vez, precipitados por um acidente ou uma aventura que com o tempo ganhou nas lembranças deles dimensões cósmicas, de explosão galáctica".

Clube da Evolução: "Estava vazia, exceto por um objeto quase invisível".

Manual: "Isso explicaria as estrelas de nácar ocas que lhe acariciavam a testa e não pousavam em nada, como as estrelas de verdade".

Gelo: "Os [gelos] do Paraíso não eram menos perigosos".

Na seção que chamo de Manual há uma busca por um guia enigmático que contém todas as instruções necessárias para cumprir as tarefas mais simples de uma determinada profissão. De um jeito análogo, o próprio *O divórcio* delineia esse processo para aqueles que quiserem compreender ou experimentar as possibilidades expansivas de um único momento. É este seu maravilhoso dom, e *O divórcio* é a personificação desse dom.

Escrevo estas palavras em minha escrivaninha depois de ter sido transformada pelo trabalho de outra pessoa. De repente, tenho novos objetivos e um plano de transformar meu quarto, com sua claraboia empoeirada e pilhas de livros e talismãs, no espaço energizado do Clube da Evolução descrito no livro.

A roda está girando. A roda é a vida contida no livro. Cada giro é um episódio ou personagem. Todas as coisas são parte da mesma história e vêm à tona em momentos distintos, desencadeando vibrações em diversas frequências, criadas pelo giro ou pela parte da roda que se encontra no topo em dado momento. Tudo acontece ao mesmo tempo. A moldura vazia abriga uma imensidão de imagens: o fim do sono, o sonho épico, a projeção do próximo dia, a memória da noite anterior. Tudo em um piscar de olhos — e cabe ao escritor destrinchar, com energia inabalável, cada um desses giros, a fim de nos oferecer uma história.

O livro dele é mesmo dele. Nada do que foi dito aqui pode realmente acrescentar algo mesmo ao mínimo esforço do mestre. César Aira é um geômetra psicodélico, e garanto que *O divórcio* deixará você sem fôlego, e isso é tudo o que ainda tenho a dizer.

Outubro de 2020

PATTI SMITH
Poeta, fotógrafa, escritora e musicista estadunidense. É autora de Só garotos *(trad. de Alexandre Barbosa de Souza, Companhia das Letras, 2010) e* O ano do macaco *(trad. de Camila von Holdefer, Companhia das Letras, 2019), entre outros.*

Título original: *El divorcio*

DIRETORAS EDITORIAIS Fernanda Diamant e Rita Mattar
EDITORA Eloah Pina
ASSISTENTE EDITORIAL Millena Machado
REVISÃO Eduardo Russo e Fernanda Campos
DIRETORA DE ARTE Julia Monteiro
IDENTIDADE VISUAL E CAPA Celso Longo e Daniel Trench
IMAGEM DA CAPA © Adobe Stock
PROJETO GRÁFICO DO MIOLO Alles Blau
EDITORAÇÃO ELETRÔNICA Página Viva

CIP-BRASIL. CATALOGAÇÃO NA PUBLICAÇÃO
SINDICATO NACIONAL DOS EDITORES DE LIVROS, RJ

A254d

Aira, César, 1949-
O divórcio / César Aira ; tradução do espanhol Joca Wolff, Paloma Vidal ; posfácio Patti Smith. — 1. ed. — São Paulo : Fósforo, 2025.

Título original: El divorcio
ISBN: 978-65-6000-064-3

1. Ficção argentina. I. Wolff, Joca. II. Vidal, Paloma. III. Smith, Patti. IV. Título.

CDD: 868.99323
24-94403 CDU: 82-3(82)

Meri Gleice Rodrigues de Souza — Bibliotecária — CRB-7/6439

Editora Fósforo
Rua 24 de Maio, 270/276, 10º andar, salas 1 e 2 — República
01041-001 — São Paulo, SP, Brasil — Tel: (11) 3224.2055
contato@fosforoeditora.com.br / www.fosforoeditora.com.br

Este livro foi composto em GT Alpina
e GT Flexa e impresso pela Ipsis
em papel Biblioprint 60 g/m² para a
Editora Fósforo em dezembro de 2024.